ホリエモンの
未来予測大全

2035
10年後のニッポン

堀江貴文

徳間書店

はじめに

テクノロジーの進化はすさまじい。

それは私たちのビジネス、ライフスタイル、価値観、そのすべてをどんどん更新していく。かつて十年一昔と言ったものだが、いまや1年が一昔だ。

特に生成ＡＩ（人工知能）の進化には目を見張るものがある。

先日、広島で開催されたＧ７サミット（主要国首脳会議）では生成ＡＩの利活用をめぐり、その推進派と規制派とで意見が割れた。

そういうものだ。革命的なテクノロジーが生まれると、ひととき世界は混乱する。そしてやがて受け入れられていくのである。テクノロジーにはあらがえない。

ＡＩはいまシンギュラリティに達しつつある。

人類の知能をいよいよ人工知能が超えるのだ。私たちは人類史に残る転換点に立っている。

世界は拡張し、爆発し、あらたな次元を切り開く。

これからの激変に適応できない人は生き残れない。それは事実である。

世界が変わるようにあなたも変わらなくてはいけない。文明とはそういうものだ。

でも人は変化を恐れる。積み上げてきたものが無駄になると考えるからだ。悪い癖《くせ》だ。なんでも数値に換算したがるからそんなつまらない恐れを抱く。

いくら世界が変わろうとも、あなたが培《つちか》った経験はかけがえのないものだ。無駄になんかならない。

あなたの経験はあなただけの魅力だ。人間的厚みというものだ。そしてそれこそが力の源なのである。

だから止まってはいけない。あなたの手であなたを損ねてはいけない。目先にとらわれるな。本質を見ろ。次のフェーズに進むのだ。

本書で私は10年後の未来予測を試みた。未来はもちろん予測できない。予測できるなら私は株で億万長者になっている。

でも予測不可だからといって、未来に目を凝《こ》らさないのは誤りである。なぜなら本質は未来から導き出されるからだ。本書の狙いはそこにある。

本書にはさまざまなトピックが収められている。

ＡＩやその他テクノロジーをはじめ、お金、経済、ビジネス、働き方、社会情勢、ライフスタイル――。

幅広いジャンルにわたる全58トピック。さながら未来予測大全である。

本来ならどのトピックも、それ１つで本１冊の分量を費やすような重要な事柄だ。今回、それをあえて要点だけに絞って簡潔に記した。

未来の輪郭《りんかく》を手っ取り早く示すのが目的であり、的中させるのが目的ではないからだ。

いま世の中でなにが起こっているのか、そしてそれが今後どうなりそうなのか。そんな雑学本としても楽しんでもらえると思う。

未来に思いを馳《は》せ、あなたなりの道筋をつけてもらえれば著者冥利につきる。
まずは知ることだ。知れば希望がみなぎる。

堀江貴文

2035
10年後のニッポン

ホリエモンの未来予測大全

目次

Chapter 1

AI

シンギュラリティ到来。恐れるのか、それとも楽しむのか

- 街中で予知型ＡＩが目を光らせる 46
- 違法駐車撲滅 49

Chapter 3

仕事・暮らし

あらゆる局面で
パラダイムシフトが起きる。
本質を見抜け

Chapter

4

産業

スケールするもの、縮小するもの。
その明暗を読み解け

Chapter 5

テクノロジー

すべての常識が覆される。未来は希望と興奮に満ちている

Chapter

1

AI

シンギュラリティ到来。
恐れるのか、
それとも楽しむのか

ついに「ドラえもん」が誕生した！

21世紀のいま、ついに本物の〝ドラえもん〟が現れた。あんなことも、こんなことも、ふしぎなポッケで叶えてくれるドラえもん。その実の名を「ChatGPT（チャットジーピーティー）」と呼ぶ。

ChatGPTとは、対話型ＡＩ（人工知能）によるチャットサービスである。以前からＡＩを用いたチャットサービスは存在していた。企業が顧客対応としてウェブサイトに導入しているチャットボットなどがそうだ。そうした従来のチャットボットは、こちらの質問に対し、限定的なテンプレートの回答を返すだけだ。

でもChatGPTは違う。こちらのあらゆる質問、要望に博覧強記《はくらんきょうき》の知識で応じてくれる。あんなこと、こんなこと、なんでもこいなのだ。

米企業オープンエーアイが開発したこのChatGPT。システムのベースになっているのはＧＰＴ（Generative Pretrained Transformer）と呼ばれる言語モデルだ。そもそもこのＧＰＴの開発は「文章の次の単語の予想」がスタート地点だった。そして約５兆語にもおよぶテキストを取り込み、膨大な言語パターンを学習することで、きわめて高度な言語処理能力を獲得。ＧＰＴはあたかも人間のように自然な言葉を駆使するようになった。

ＧＰＴがはじめてリリースされたのが２０１８年。そこから何度もアップデートを重ね、ＧＰＴ－４として現在にいたる。その能力は驚くべきものだ。開発元のオープンエーアイによれば、ＧＰＴ－４に米司法試験の模試を受けさせたところ上位10％に入るハイスコアで合格したという。これまでのＡＩやテックは数字には強かった。一方で、複雑に入り組み、時にバイアスもかかるセンテンス（文章）データは苦手にしていた。司法試験ともなれば、文系最難関だ。それをたやすくクリアしたのである。

ＧＰＴはあらゆる分野において膨大な知識を持つ。でもそれだけではない。「倫理観」も備えている。ChatGPT は差別を煽《あお》るような質問、犯罪に悪用できそうな質問は受けつけない。そんな質問をすると諫《いさ》めてくる。

あるいはあなたが「宿題をしたくない」とぼやけば、宿題の意義を説き、やる気を出すための秘訣を教えてくれる。

いつでもどこでもそばにいて、特異な能力でこちらを助けてくれる。まさにドラえもんだ。

ChatGPTの進化速度はすさまじい。当初はテキストの認識と生成だけだったが、あっという間に画像の認識と生成もできるようになった。冷蔵庫のなかを写した写真から、そこにある食材を見分け、つくれる料理のレシピを示す。そんなことも可能だ。

もちろん音声の認識と出力もできる。まだ音声のコミュニケーションだとタイムラグがあるものの、これもじきに解消されるだろう。人間とAIとの自然でスピーディーな会話が実現する。

GPTの加速はとまらない。今後あらゆる領域に進出していく。

コンテンツ産業を筆頭に、金融、医療、教育、交通——。そのすべてを根底から変え、私たちの生活を一変させる。10年後の日本の風景はいまとまったく別物になる。

励ましてくれるChatGPT

j 宿題をしたくない

わかります、宿題は時々面倒に感じられることがありますね。しかし、以下のポイントを考えてみてください:

1. **学習の機会**：宿題は新しい情報を定着させ、学習を深めるための重要な機会です。
2. **練習の機会**：宿題を通じて、学んだことを自分自身で試すチャンスが得られます。理解度を高めるためには実践が必要です。
3. **自己管理スキル**：宿題は自己管理と時間管理のスキルを育てます。これらのスキルは学問だけでなく、人生全般で役立ちます。

それでもやる気が出ない場合は、以下の方法を試してみると良いかもしれません。

- **一歩ずつ**：タスク全体に圧倒されている場合は、小さなパートに分割しましょう。一つずつ完了することで、達成感とモチベーションを得ることができます。
- **スケジュールを作る**：宿題の時間を決めてスケジュールに記入しましょう。特定の時間に作業をするというルーチンを作ることが有効です。
- **ご褒美を設定する**：タスクを完了した後に自分への小さなご褒美を設定することも効果的です。これは自己励行的な方法で、やる気を引き出す手段となります。

思い出してください、一度に全てを完璧にしようとするプレッシャーから解放されることは大切です。一つずつ、自分のペースで進めていきましょう。

Regenerate response

Send a message.

AIは人間を侵食するのか

このドラえもんの登場はシンギュラリティの到来を意味する。シンギュラリティとはAI（人工知能）が人類の知能を超える転換点のことだ。かつての予測だと2045年あたりと見込まれていたが、実際にはそれより20年も早いことになる。

そしてChatGPT（チャットジーピーティー）の登場は、いま私たちにひとつの大きな命題を投げかけている。人間とはいったいなんなのか？　という命題だ。

人間が人間たるゆえんは、自然言語にある。自然言語とは、ふだん私たちが日常で使う言語を指す。私たち日本人は日本語という自然言語で、お隣の国の韓国人は韓国語という自然言語で、アメリカで暮らす大半の人は英語という自然言語で、お互いの意思疎通をはかっている。

そのようにして人間は生物学的な遺伝だけでなく、口頭や文面を駆使して知識の遺伝を成し遂げてきた。人間は自然言語によって文明を発展させてきたのだ。自然言語が人間を司《つかさど》るのである。

一方でGPTだ。2023年の琉球大学の卒業式で、卒業生代表の1人がChatGPTの書いたテキストをもとにした答辞を読み上げた。見事な答辞だったらしい。しかもその方は中国人だったが、ものの数分で日本語の答辞を仕上げたそうだ。※1

そんなGPTの言語能力は、私たち人間の自然言語をデータとして大量に取り込んでいくことで獲得したものだ。じつはその獲得プロセスも人間となんら変わらない。

あなたがいまとうぜんのように使っている日本語。あなたはその自然言語の能力をどうやって獲得しただろうか。学校で英語を習うように、まず文法を知って単語を覚え、その2つを合致させるようなプロセスを踏んだだろうか。そうではないはずだ。

文法がどう、単語がどうとかではなく、生まれてから毎日毎日、日本語に触れ続けた。最初、その日本語の意味はまったくわからない。でも大量の日本語が脳にインプットされることでやがてコツをつかむ。そしていつしか自在に日本語をしゃべれるように、そして書けるようになった。そのはずだ。文法は、事後的に学校で学ぶものに

※1　沖縄タイムス「卒業生、チャットGPT使い答辞『数日かかる文章がわずか数分で』琉球大学で卒業式」（2023年3月24日）

すぎない。文法を知らなくても私たちは日本語を操れる。

ＧＰＴもそうだ。ＧＰＴが生成する言語は、文法に基づくものではない。私たち人間と同じく、自然言語の大量インプットを経て、そこから妥当と判断される自然言語を再構成している。つまり**ＧＰＴは表面上だけ人間に似せているのではない。その内面、メカニズムも人間のそれと一緒なのだ。**

囲碁、将棋、チェスなどの盤上ゲームの領域ではすでにシンギュラリティを通過した。人間の棋譜《きふ》をもとにＡＩ同士に天文学的な数の対局を実行させた成果だ。そして自然言語処理という人間の領域においても同様のプロセスが加速度的に進んでいる。これらシンギュラリティは人間の叡智《えいち》にほかならない。

人間とＡＩの境界線は消えつつある。ＡＩが人間を侵食している？　違う。ＡＩと人間は融合していくのだ。そして私たち人間は、私たちＡＩは、さらに高みを目指す。これから想像を超えた文明が切り開かれていく。

シンギュラリティは、私たちの予想を超える速度で実現

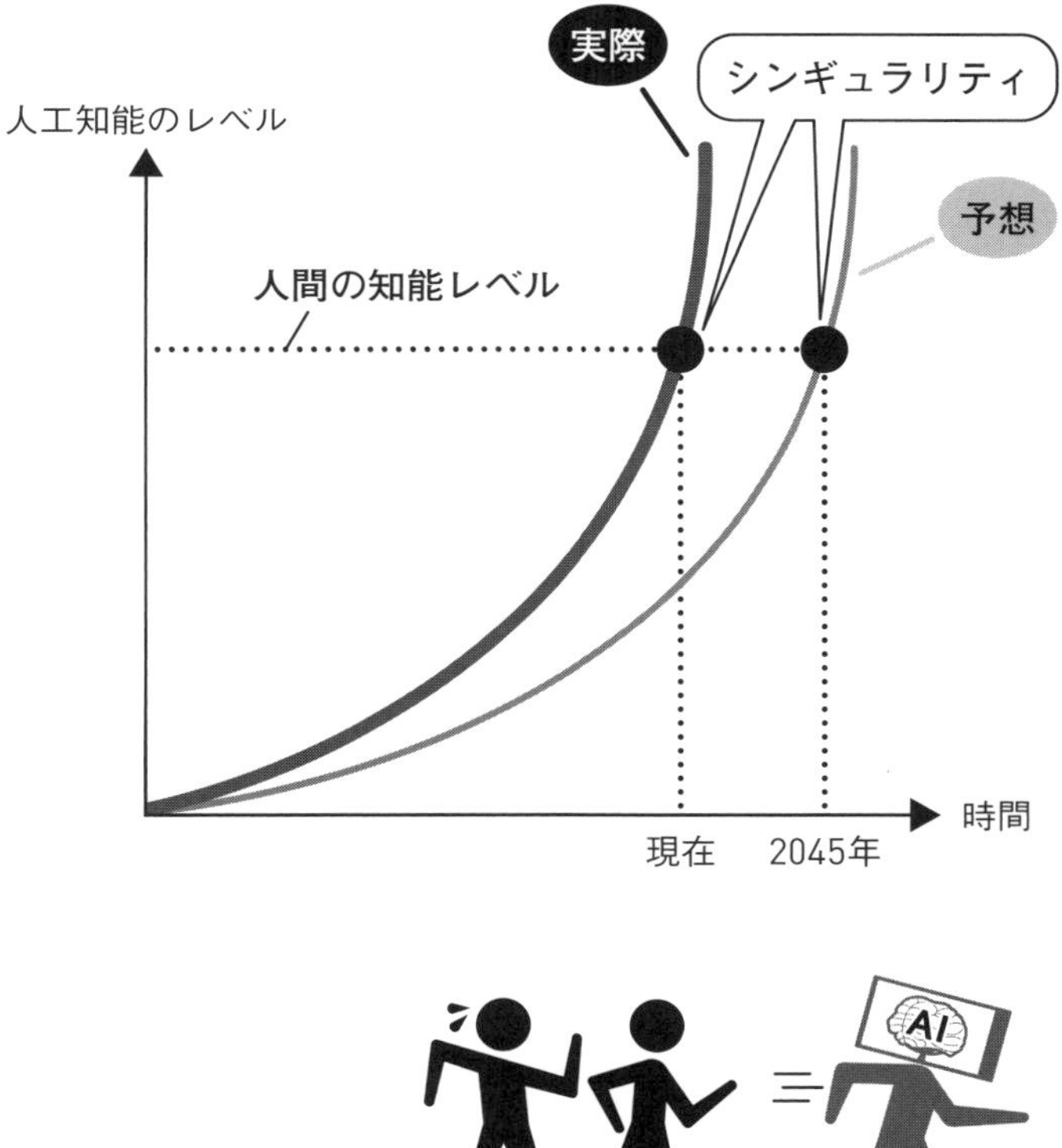

あなたの「個性」が増殖する

すでに日々の業務の一部をChatGPT（チャットジーピーティー）でこなしている人もいるだろう。

私もそうだ。例えば、とある新刊書籍に推薦コメント（帯文）を寄せてほしいと依頼される。ChatGPTの出番だ。「この本の推薦コメントを考えてください。40文字以内で」と入力し、その本の概要をコピペする。すると、たちまちコメント案がいくらでも出てくる。そこから気に入ったものを採用するわけだ。ただし、より私らしい（堀江貴文らしい）コメントにするために、自分でちょっと手直しすることもある。

また取材を受ける際もChatGPTが役立つ。取材でいちばん困るのが先方からの大《おお》雑把《ざっぱ》な質問だ。「日本経済の今後の展望は？」「社会格差の改善策は？」「環境問題にどう向き合う？」といった具合である。テーマが大きすぎてなにから答えるべきか迷う。そんなときはChatGPTに「日本経済の展望をリストアップしてください」と頼み、そのリストを見ながら先方に回答している。

そのようにChatGPTは私の業務の一端を担ってくれている。ただしあくまで一端だ。まだ万全ではない。ChatGPTの文章には、どこかで読んだような既視感がつきまとう。インターネット中の膨大なテキストから学習しているため、それはやむをえない（中立性という点からいえば、長所でもあるのだが）。オリジナリティを出すにはこちらの補正がいくらか必要になる。

GPTが真のシンギュラリティ（技術的特異点）を果たすうえで、最後にして最大の壁はそこだ。「個性」である。

人間ひとりひとりに個性があるように、ChatGPTも時と場合に応じた個性を獲得できるのか――。答えはイエスだ。その実現は刻一刻と近づいている。

最新のChatGPTでは、個別学習が可能になった。それぞれのユーザーがそのアカウントごとにGPTにデータを記憶させられるのだ。つまりあなた好みのChatGPTにカスタムできる。例えば、あなたがこれまで作成してきた企画書を大量にアップすれば、あなたらしい企画書の自動生成に特化したChatGPTになる。

ただし、ChatGPTの記憶力（容量）はいまのところ2万5000字にとどまる（日本語の場合）。だからカバーできる範囲は限定的だ。でもその記憶力は近いうちに飛躍的に増強されるだろう。

ChatGPTの記憶力が増強されるとどうなるのか。もちろん、あなた好みの多彩な企画書を量産してくれるようになる。

そして最終的にはこうなる。あなたの履歴書や日記やメール文、さらに仕事がらみで作成した各種資料、そういったものを手あたり次第アップすることで、ChatGPTにあなたの個性を植え付けられる。つまりあなたの分身をつくれる。私は私で「AI堀江貴文」をつくれるのである。

私の著書、メルマガ、SNSの発言、インタビュー記事、それらのデータをすべてChatGPTにアップする。データ量が多ければ多いほど、AI堀江貴文は限りなく私に近づく。私という「個性」がもうひとつ誕生するのだ。いつしか取材も講演も執筆もすべて彼がこなし、私はバカンスを楽しむ。そんな未来が近くまで来ている。

亡くなった人が甦《よみがえ》る

「ＡＩ堀江貴文」の技術を応用すれば、亡くなった人を甦《よみがえ》らせることも可能だ。

２０２１年、99歳で天寿をまっとうされた僧侶で作家の瀬戸内寂聴さん。私は寂聴さんに大変よくしてもらった。京都・嵯峨嵐山《さがあらしやま》にある寂庵（寂聴さんが開いた寺院）にも何度か伺《うかが》ったことがある。いくつになられても美しく快活明朗な方だった。

寂聴さんは多くの人に慕われた。法話を開くと数百人、時に数千人の聴衆が詰めかけた。その温かくユーモラスな言葉に救われた人はたくさんいる。

今後、さらに機能拡張するChatGPT（チャットジーピーティー）を用いれば、そんな寂聴さんがまざまざと甦る。従来の対話型ＡＩ（人工知能）だと、過去の発言を引用することしかできない。でもChatGPTは応用が利く。だから甦った寂聴さんは世相が変わろうとも、いろんな人生相談に耳を傾け、そのつど的確な助言をくれる。寂聴さん自身もその人生相談の数だけ知見を蓄《たくわ》えていく。つまり**AI上で生き続け、ずっと私**

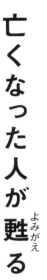

たちを励ましてくれるのだ。

もちろん寂聴さんに限った話ではない。データ量さえあればだれでも甦る。死とは、すなわち遺されたほうの問題だ。私はそう思う。「ちゃんとお別れできなかった」「最後に感謝を伝えたかった」「孫の顔を見せたかった」そんな思いを抱えて生きる人もいる。ＡＩを通じて故人と再会できれば、そうした葛藤もやわらぐかもしれない。

あるいは、余命わずかの親が自身のＡＩを残し、子の成長を見守ることもできる。

さらにChatGPTにＡＩ音声合成の技術を加えれば、実際の声との対話も可能だ。すでにＡＩ音声合成の精度の高さは実証済みである。

２０１９年大晦日のＮＨＫ紅白歌合戦。昭和の歌姫・美空ひばりさんの歌声が復活した。ひばりさんが生前に残した歌声や話し声をＡＩにディープラーニング（深層学習）させたのだ。※2 当日披露された〝新曲〟を歌い上げるその歌唱力も声質も、まさにひばりさんそのものだった。日本中が驚いた。

当時のＡＩ技術でもその次元に達したのだ。ＡＩ音声合成はそこからさらに進化している。ＧＰＴもそうだ。どんどん能力があがっている。この2つが組み合わされば、

※2　ヤマハ株式会社「美空ひばりの新曲ライブの実現を支援　あの歌声を当社最新の歌声合成技術『VOCALOID:AI™』で再現」（2019年９月）

故人と普通におしゃべりできるようになる。

言葉（テキスト）、そして音声の生成技術だけではない。ＡＩによるＣＧ（コンピュータ・グラフィックス）制作技術はすっかり極まりつつある。表情の変化や仕草といった、人物の繊細なニュアンスもいまや違和感なく表現できる。今後それは輪をかけてリアルになっていくだろう。実在の人物と瓜二《うりふた》つの人物がつくれるようになる。

くわえて高度なディスプレイ装置の開発も進んでいる。２０２０年にソニーが発売した空間再現ディスプレイ「SPATIAL REALITY DISPLAY」は、専用のメガネやヘッドセットが必要な従来の３Ｄ装置とは違い、肉眼のままで立体映像を視聴できるものだ。私も実際に試してみたが、まるで実物が目の前で動いているようだった。いまのところ「SPATIAL REALITY DISPLAY」はiPadサイズだが、大型化が実現すれば、等身大の人間をそこに立ち上がらせることができるだろう。

あなたが望むのであれば、故人があなたのそばでいつまでも、文字どおり寄り添ってくれる――。10年後にはそんな光景が日常のひとつになるかもしれない。

亡くなった人と再会できる

❶「過去の発言＋最新データ」のディープラーニング（深層学習）により、“新たな発言”が生成できる。例えば、瀬戸内寂聴さんが過去に言及していない「マッチングアプリでの恋」といった話題についても、当人らしい的確な受け答えができる
❷CG技術で、当人の繊細な視覚ニュアンス（表情や仕草）を再現
❸音声合成技術で、当人の声を再現
❶＋❷＋❸で、当人と瓜二つの人物が生まれる

過去の発言の引用しかできない

AIが、子どもと老人を支える

今後、ChatGPT（チャットジーピーティー）の能力が増し、さらにそこに音声合成技術を加えれば、AI（人工知能）が人間の「話し相手」になる。前にそう述べた。ひょっとして**その恩恵をいちばん受けるのは、幼児期の子どもとその親かもしれない。**幼児期の子どもにとってAIは理想的な話し相手だ。

子どもは好奇心が旺盛で、特に言葉を覚えたての3〜5歳くらいのときは親を質問攻めにする。いわゆる「なぜなぜ期」だ。あれはなに？　これはなに？　なんで？　どうして？　もちろん悪気はない。子どもはそうやって成長する。でも、そうとわかっていても親はしんどい。忙しいとつい「うるさい！」と叱《しか》ってしまうこともある。

そこで子どもの相手をAIにバトンタッチする。AIならいくら質問攻めにされても、嫌な顔せず何度でも答えてくれる。しかもその答えは正確だ。

「なんで雲は白いの？」と子どもに訊かれる。どうだろう。あなたはきちんと答えられるだろうか。もし雲が白く見える理由を知っていても、子どもが理解できるように説明するのはなかなか難しい。

しかし、ChatGPTにかかれば朝飯前《あさめしまえ》だ。「なんで雲は白いの？ 小さい子どもでもわかるように教えて」と質問すると、こう返ってくる。〈雲が白いのはね、太陽の光が雲の中の小さな水滴に当たって、光がいっぱいの方向に跳ね返るからなんだよ。雲の中の水滴は、太陽の光を受けてキラキラして、白い光になるんだ。だから、雲は白く見えるんだよ。〉

学校の先生より上手に答えてくれる。それでも子どもが理解できなかったら「もうちょっと詳しく教えて」「わからないから、違う教え方をして」と得意の質問攻めにすればいい。

子どもは偏見を持たない。ＡＩであってもすぐ仲良しになる。

そうしたたんなる話し相手の役目にとどまらない。ＡＩと監視カメラを組み合わせれば、半自動化された託児所もつくれる。子どもたちはＡＩとの会話を楽しみ、ＡＩに見守られる。危険物は最初から置かず、不審な動きや物理的な問題が発生したときには人間が対応する。これならいま社会問題になっている保育士不足も根本的に解消できるだろう。

さらにAIはマルチリンガルだ。日本語はもちろん、英語、ドイツ語、スペイン語、中国語など主要な言語すべてに対応している。つまり「AI託児所」はインターナショナルスクールとしても機能するのだ。

託児所だけではない。同じように高齢者介護の現場でもAIは活躍してくれる。介護士や家族の負担軽減につながるだけではない。AIがずっと話し相手をつとめてくれれば、認知症予防にもなる。

高齢者が補聴器を購入するように、話し相手としてのAIも大ヒットするのではないか。

正直、この技術を悪用する者も現れるはずだ。特に電話口での区別は難しいため、特殊詐欺グループがAIを使って高齢者を騙《だま》すのは簡単だろう。もしかすると、そいつらはすでに導入しているかもしれない。

AIデスクワーク元年

2035年前後に日本の労働人口の49％にあたる職業がAI（人工知能）に代替される――。いまから10年近く前、野村総合研究所と英オックスフォード大学の共同研究でそんな指摘がなされた。[※3] それが見事に的中しそうだ。

現在、知的労働や事務作業を職業にするホワイトカラーは日本の全労働者の半数以上を占めている。[※4] **今後、そのホワイトカラーの9割がAIによっていまの職を失うだろう。徐々にではない。一気に失っていく。**

文章、画像、音声といったコンテンツの自動生成能力を持つAIを「生成AI」という。GPTがその代表格だ。この生成AI以前のAIも人間を大きくしのぐ情報処理能力を持っていた。しかし応用力に欠け、新たなコンテンツを創出できるわけではなかった。実際、いまも資料作成などはあくまで人間の手作業で仕上げている。

※3　野村総合研究所「日本の労働人口の49％が人工知能やロボット等で代替可能に」（2015年12月）
※4　厚生労働省「労働政策審議会労働条件分科会　第63回資料」（2006年9月）

しかしChatGPT（チャットジーピーティー）をはじめとする対話型の生成ＡＩの進化でそれは一変する。私たちのデスクワークをいよいよ本格的にＡＩが受け持つのだ。

対話型の生成ＡＩをあつかううえでスキルはなにもいらない。だれかに話しかけるように言葉で指示するだけだ。ＡＩが生成したコンテンツがいまいちの出来なら、さらに指示を重ねればいい。曖昧《あいまい》な指示であっても問題ないわけだ。

数年後には、各種資料の作成も、メールの送受信も、ＡＩが瞬時に片づけるようになる。そして会社員の大半は自分の持ち場を失う。そのときになってからでは遅い。いまのうちに自分の強みに磨きをかけ、人材価値を高めておくべきだ。

例えば、これまで高額な報酬を得ていたコンサルティング業界はほぼ存在価値がなくなる。コンサルのおもな業務は、経営課題に関するデータの収集、分析、そして解決策の提示だ。生成ＡＩがもっとも得意とする領域である。

そのような資料性で勝負してきた職種から順にＡＩに染められていく。銀行員も、エンジニアも、あるいはパラリーガル（法律事務員）も精度が命の仕事だ。そしてどんな人間もＡＩの精度は超えられない。

さきごろ、マイクロソフトが「Microsoft 365 Copilot」という新サービスを発表した。これによって、Microsoft 365の全ソフトにＧＰＴが組み合わさり、ChatGPT のようなチャット形式でＡＩに指示できるようになる。Word も、Excel も、PowerPoint も、Outlook も、これまで私たちがやってきた実務の大半をＡＩが担うことになるわけだ。

この「Microsoft 365 Copilot」は２０２３年中にもリリースされる。ご存じのとおり、Microsoft 365は日本の多くの企業が導入しているオフィスアプリだ。私たちの働き方は根本から変わっていく。

「Microsoft 365 Copilot」以外にも業務の効率化をはかる、つまりこれまでのホワイトカラーの仕事をＡＩ化するサービスが続々と出てくる。ＡＩを駆使できる企業が生き残っていくのだ。そしてＡＩを拒めば淘汰《とうた》される。シビアだがそれが現実だ。

油断していると、あなたもリストラ対象者にリストアップされてしまう。しかもその選別はあなたの上司ではなく、生成ＡＩが担当するかもしれない。

「クリエイター」の定義

生成ＡＩ（人工知能）の進化は、ホワイトカラーのみならず、クリエイターの仕事にも踏み込んでいく。例えば今後、生成ＡＩのつくったアート写真が、プロ写真家のそれを凌駕《りょうが》するようにもなる。いや、すでに実際そういうことが起きた。

国際的な権威のある写真コンテスト「ソニー・ワールド・フォトグラフィー・アワード」。その２０２３年の入選作品の１つに架空のＡＩ画像が選ばれたのだ。写真コンテストとしてＡＩの関与をどこまで認めるのかをめぐり、ひと騒動となった。結局、出品したドイツ人芸術家は受賞を辞退。「写真の腕やノウハウを持たなくても写真のように見える画像を制作できる」と皮肉たっぷりにコメントを残した。[※5]

プロカメラマン、素人カメラマン、その境目《さかいめ》はこれからなくなっていく。純粋な撮影技術だけみれば、とうぜん素人はプロにおよばない。でも素人写真をＡＩ処理して、

※5　CNN「AI生成画像が写真コンテスト入賞、出品のアーティストが受賞辞退」（2023年4月21日）

プロ級に仕上げてしまうことはもはや可能だ。
高価な一眼レフも必要ない。iPhoneはデジタルカメラに匹敵する性能を持っている。iPhoneとＡＩさえあれば、素人もプロに肩を並べられるのだ。

私はあらたまった写真を撮られる機会が多い。自分の新刊書籍や、監修する商品のプロモーション用だ。そのために撮影スタジオに出向き、カメラマンとそのアシスタントが組んでくれたセットのまえに立つ。手間もコストも人員もそうとうなものだ。こうした光景はこれからなくなっていくだろう。
既存の写真がいくらかあれば、あとは生成ＡＩが綺麗《きれい》な近影をいくらでもつくってくれる。私はめったにネクタイを締めない。でもそのネクタイ姿にしろ簡単に合成できる。

ならば、プロカメラマンにしかできないこととはなんだろう。正直、それを見出すのは難しい。

これはプロのイラストレーターも同様だ。色使い、タッチ、モチーフ、テクスチャー、輪郭線《りんかく》の幅。そのイラストレーターを特徴づけるそういった要素も、画像生成Ａ

Ｉなら変幻自在に操れる。

いまや数多くの画像生成ＡＩサービスがリリースされている。「サッカーをする猫」と文字入力するだけで、ユーモラスなイラストが瞬時に生まれる。「アニメ風の女子高生」と入力すれば、いかにもそれらしいキャラができあがる。

ただ現時点では、商用に耐えられるレベルのものをつくれる画像生成ＡＩは限られていて、操作にもそれなりの技術（コツ）が要求される。だが、ＧＰＴと同じように、画像生成ＡＩの分野も日進月歩で進化していく。じきにだれもがプロ顔負けのイラストを仕立てるようになる。

高性能のデジタル時計が普及したあとも、アナログ時計は販売されている。便利なオートマ車があるのに、マニュアル車も販売されている。アナログ時計やマニュアル車にあえてこだわる人が一部にいるからだ。ある種のレトロ感が魅力なのだろう。

クリエイティブの世界でもそうなっていく。**多数の「素人＋ＡＩ」と、一部の「才能あるクリエイター」。そういう構図になっていくはずだ。**

AIが少子化を加速させる

画像生成AI（人工知能）がつくった架空女性のヌード写真集が売れているらしい。ためしに私もアマゾンでそのデジタル写真集を買ってみた。驚いた。生身の女性と見分けがつかない。人気のセクシー女優だと言われれば、そのまま信じると思う。

ここまで生々しく表現できるのなら今後、生成AIによるAV（アダルトビデオ）も登場しそうだ。**いわゆるディープフェイク（AI技術で既存の画像や映像を組み合わせること）とは別物の、すべてが架空のAVだ。**もちろん現実同様のセックス動画をつくるのは簡単なことではない。だがそれでも〝AIモノ〟は登場するに違いない。

いま現在、日本のAV業界を取り巻く状況は厳しい。2022年に「AV出演被害防止・救済法」、いわゆる「AV新法」が施行された。これはAVに出演したことで心身に被害を負った出演者の救済と、出演強要の抑止を目的としたものだ。

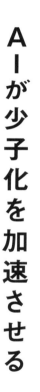

業界の健全化をはかるうえで画期的な法律だが、その一方でなかにはメーカー側の死活問題になりかねない規則も盛り込まれている。例えばこの新法により、出演者は映像公表後1年以内なら無条件で契約を解除することが可能になった。これはメーカーにすればかなり厳しいルールだ。制作した商品がつねに販売差し止めのリスクをはらむことになるからだ。

かたやAIモノならそのようなリスクとは無縁だ。そして架空の人物であってもじゅうぶん需要はある。ヌード写真集がそれを証明している。近い将来、AV業界はAIモノに注力していくだろう。

AIモノにあわせてアダルトグッズも進化するはずだ。すでにオナホールは電動化にとどまらず、AVの内容に連動して動くものも開発されている。よりAIモノにフィットした連動オナホールが完成すれば、ユーザーは最高の没入感を得られる。

いま女性向けのAVも流行《はや》っている。女性もAIモノと、AIモノ専用の連動アダルトグッズによって、身も心も満たされるだろう。

現在、20代独身男性の約4割がデート経験を持っていないという。※6

※6　内閣府男女共同参画局「男女共同参画白書」（2022年版）

その理由は大きく2つだ。ひとつは金銭的余裕、時間的余裕がないこと。もうひとつは、アイドルや漫画を通じた疑似恋愛によって実際のデートが不要になったこと。ようするに目の前の生身の人間に無関心な人が増えている。彼らに言わせれば、親しくなるためにこまめに連絡を取り合ったり、デートで気を使い合ったりするのが面倒なのだろう。

最近では「性的同意」という倫理観も浸透しつつある。性行為のみならず、手をつないだり、腕を組んだり、つまり相手の体に少しでも触れるときには、事前に双方の合意形成が必要である。雰囲気だけで合意とみなすのはNGだ。同意なき性行為は「不同意性交罪」として罰せられる。[※7]

生身の人間との恋愛は、繊細な配慮が求められる、なかなか大変な営みなのである。

ならば性欲は、AIモノとアダルトグッズで充足させるのが、コスパもタイパ（タイムパフォーマンス）もいいし、リスクもなくて楽ちんだ。

AIモノの普及でますます未婚者が増え、出生率も低下してしまうかもしれない。

※7　時事通信「『不同意性交罪』に名称変更＝刑法改正案、成立要件を具体化」（2023年3月14日）

みんなリアルな恋愛をしなくなった

これまでの恋人の人数・デートした人数

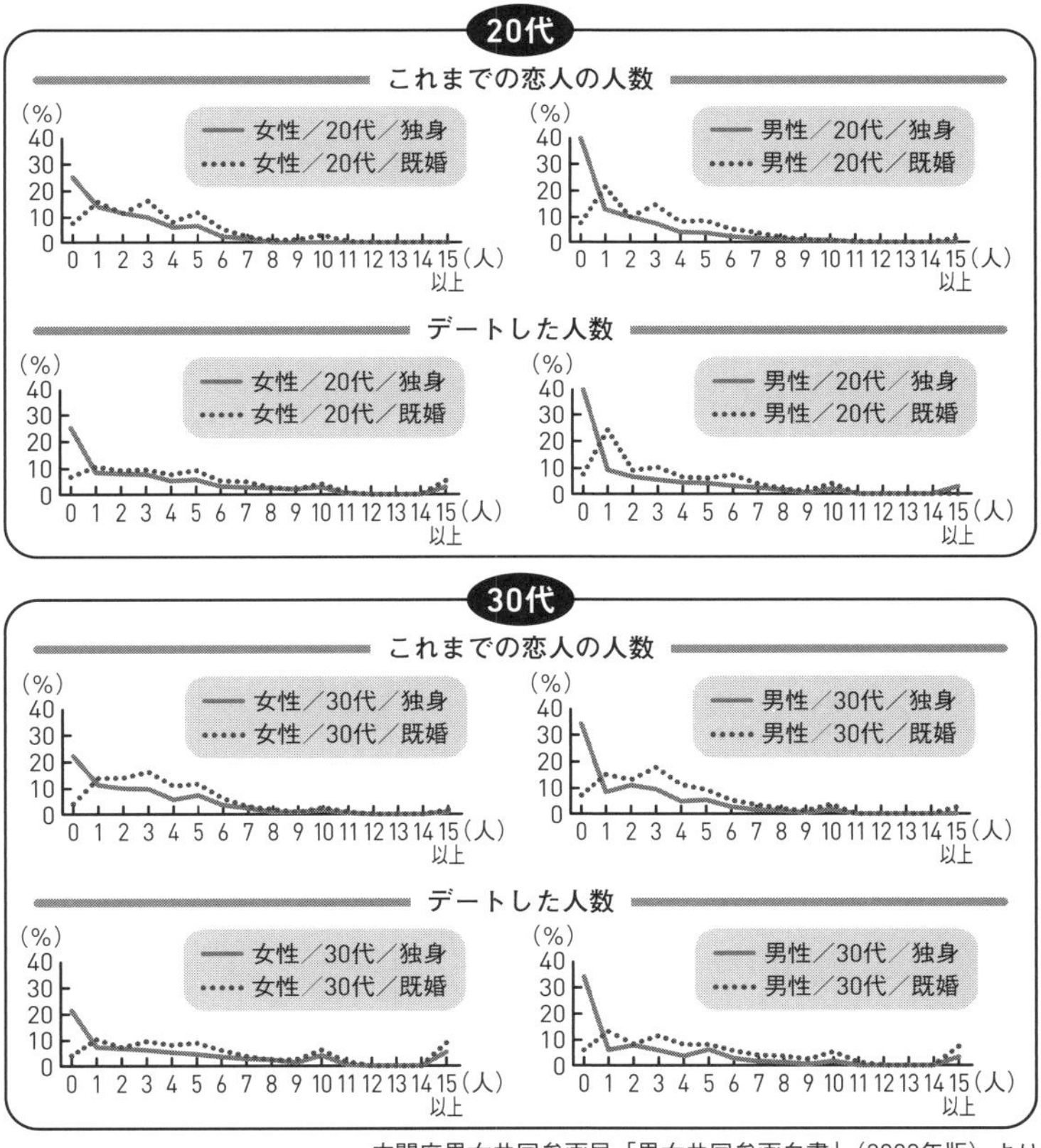

内閣府男女共同参画局「男女共同参画白書」（2022年版）より

残念だが、凶悪犯罪は増える

「最近は物騒になった」「昔はもっと安全だった」と嘆《なげ》く人がいる。しかし、殺人や窃盗、詐欺などの犯罪件数（刑法犯認知件数）自体は2002年をピークに一貫して減少している。[※8] その背景には日本の生活が豊かになったことがある。

賃金が上がりづらいなどの課題もあるが、日本では手頃な値段でおいしい食事にありつける。例えば吉野家の牛丼。海外生活の経験がある人ならわかるだろうが、吉野家の牛丼の料理としてのクオリティはそうとうなものだ。それがワンコインで食べられる（吉野家はアメリカでも人気だが、値段は日本の倍以上）。

また、ユーチューブやスマートフォンゲームなど無料で楽しめるコンテンツも豊富になった。

さらに「結婚し、子どもを持って一人前」「マイホームとマイカーは男の勲章」とい

※8　警視庁「令和4年の犯罪情勢」

った古い価値観も薄れてきている。結婚、子ども、マイホーム、マイカー。それらにかかる大きな出費が減れば、そのぶん生活水準は安定する。いま日本人は所得こそ少ないものの、やり繰りしだいでいくらでも豊かに生きていけるのだ。犯罪件数の減少はそうした事情に支えられている。

しかし今後、凶悪犯罪は増えていくだろう。好景気が続けば治安は良くなるし、不景気になれば治安は悪化する。実際、完全失業率と犯罪率には有意な関係があることがわかっている。その点で、日本の経済状況の雲行きにはかなり厳しいものがある。

人口が減っていき、国内経済のパイが縮小していく。しかも島国ゆえの移民に対する抵抗感もあって、人口減対策は遅々として進んでいない。日本の基幹産業である自動車メーカーもＥＶ（電気自動車）化の波に乗り遅れたことで、将来的にはいまのような収益規模は期待できなくなる。

今後、経済状況の悪化にともない日本社会は閉塞するだろう。つまり孤独感や絶望感に蝕《むしば》まれる人が増える。

2021年に発生した小田急線無差別刺傷事件の犯人は「幸せそうな女性を殺したかった」と供述している。[※9] 犯人は自分のことを不幸な負け組だとみなしたのだ。

これから**その犯人のような感情を抱える人が少なからず出てくる**。仕事、家族、社会的な信用、財産など、失うものがない人ほど犯罪に走りやすい。そして「だれでもいいから殺したかった」「どうせ死ぬならだれかを道連れにしたかった」といった身勝手な動機を口にするのだ。

繰り返しになるが、日本では給料が低くても楽しめることはたくさんある。ファーストフードやエンターテインメントが充実していて、心もお腹も満たされる。さらに、困窮した際には生活保護制度が支えてくれる。

そのような官民のセーフティネットによって犯罪件数自体は引き続き減少する。しかし、社会や人生に絶望した人間が引き起こす凶悪犯罪は増えていくだろう。

※9　読売新聞「小田急線切りつけ、逮捕の男『誰でもよかった』…『幸せそうな女性見ると殺したいと』」（2021年8月7日）

犯罪件数自体は右肩下がりに激減している

刑法犯の認知件数

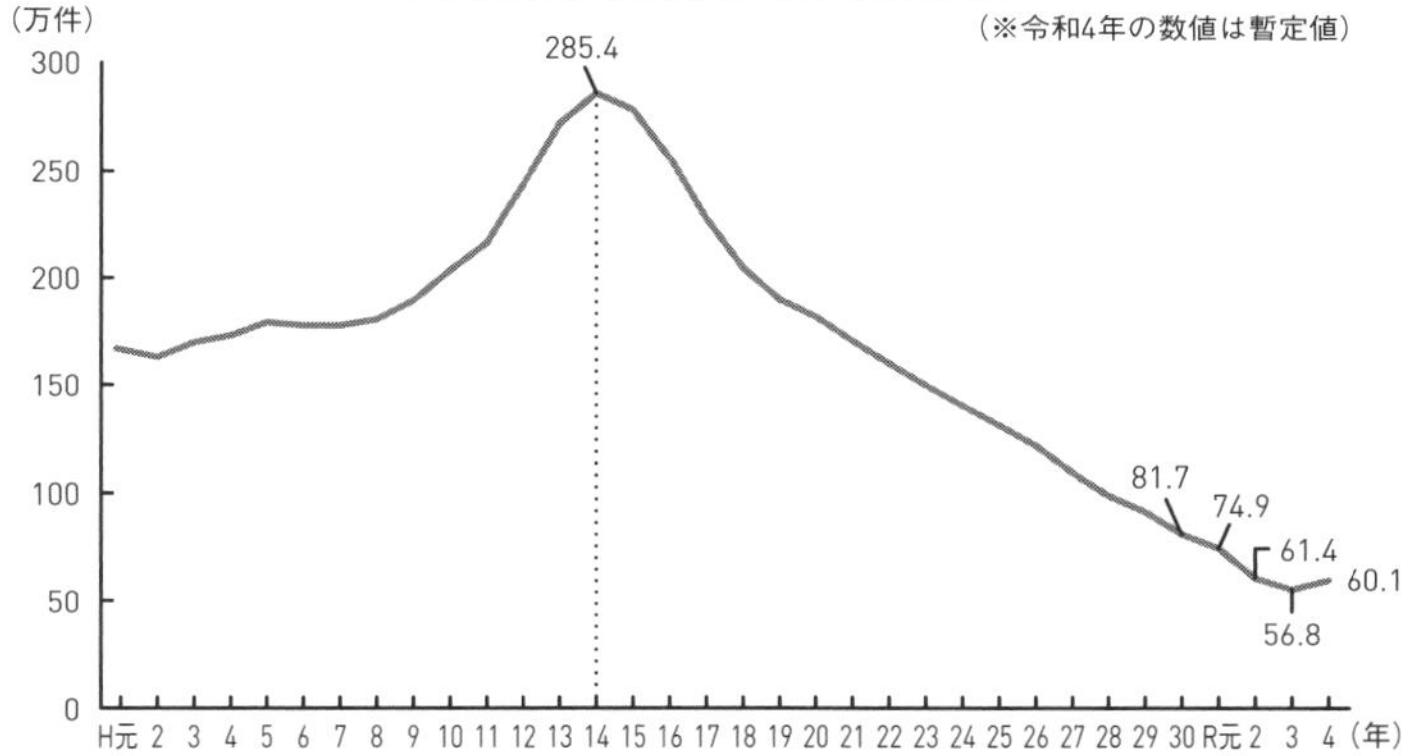

警察庁「令和4年の犯罪情勢」より

失業率と犯罪発生率

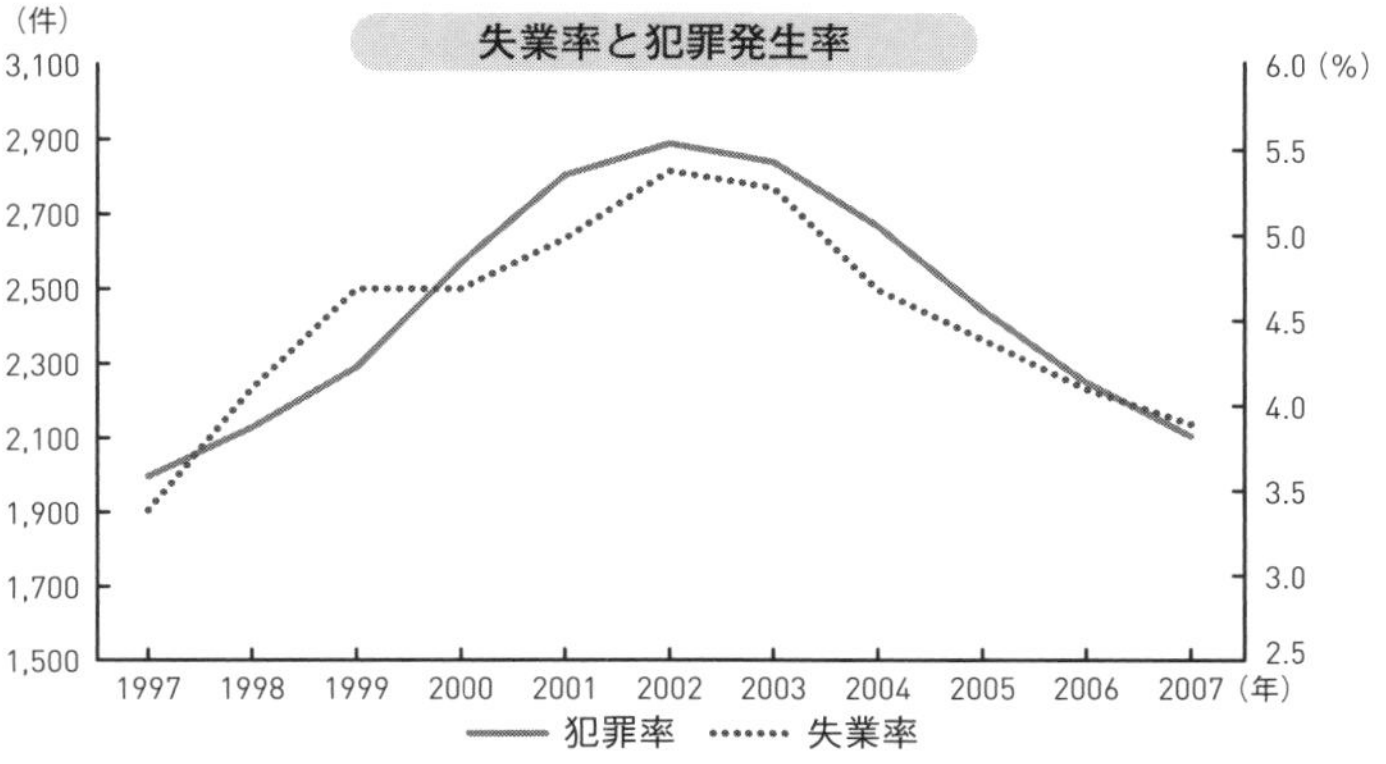

※犯罪率は人口10万人中の発生率
消費者経済総研「失業率・犯罪率は0.94の高い相関係数」（2020年5月2日）より

街中で予知型AIが目を光らせる

ショッキングな事件が多発しつつある。2018年には東海道新幹線で乗客3人が切りつけられ、うち1人が亡くなった。2021年には京王線車内で放火による無差別殺人未遂事件が起こり、2022年には安倍晋三元首相が街頭演説中に銃撃され命を落とした。2023年には岸田文雄首相が選挙応援演説中に爆発物を投げ込まれ、あわやの惨事になるところだった。

こうした大事件が起きると、早急に対策が講じられる。例えば、東海道新幹線の殺傷事件を受けて、JR東海は全車両に警備員を配置し、警備体制を強化した。

だが、本気で犯罪を起こそうとする者は抜け道を見つける。どれだけ警備員を増やしても、多くの人が出入りする場所を完全にカバーするのは難しい。

犯罪抑止のために規制を強化しようとする声がある。「武器の部品になりえるようなものはネットで購入できなくすべきだ」「爆弾のつくり方を紹介するサイトは削除すべきだ」といった意見だ。しかし、凶器の材料はホームセンターをはじめ、そこら中で手に入ってしまう。

２００８年、７人の命が失われた秋葉原通り魔事件。犯人は多くの人が行き交う白昼の交差点にレンタカーのトラックで突っ込んだ。２０１６年、フランスのニースでも同様の手口による凶行が発生した。テロを企てた実行犯が花火見物をしていた人々の列にトラックで突っ込み、86人もの命を奪った。

秋葉原の事件も、ニースの事件も、犯行に使われたのはどこにでもあるトラックだ。防ぎようがない。

爆弾のつくり方もそうだ。その気になれば基本的な科学知識だけで容易につくれてしまう。ネットを規制したところで無意味だ。

犯罪抑止にはＡＩ（人工知能）の力を借りるのがベストだ。万引きGメンは、ひと目で不審者を見抜くそうだ。長年の経験から培《つちか》われた勘によるものだろう。万引き犯の事前の行動パターンが頭に入っているわけだ。

こうしたパターンの分析は、まさにＡＩが得意とする領域である。街中の防犯カメラには、犯罪者がその犯行におよぶ事前の行動や挙動も記録される。ＡＩはその大量の記録データをディープラーニング（深層学習）することで、犯罪者のさまざまな行動パターン、挙動パターンを捕捉できるようになる。

トム・クルーズ主演の映画『マイノリティ・リポート』では、予知能力者たちの力で犯罪を未然に防ぐ刑事たちの姿が描かれる。その予知能力を、現実ではＡＩが担っていくわけだ。

犯罪の兆候の捕捉能力を持ったＡＩが防犯カメラを通じ、街中を24時間３６５日、監視する。そして危険を察知したら最寄りの警察署や交番にアラートを送り、警察官が現場に急行して当該人物に職務質問を行う。そういうテック体制が可能になれば、無差別な襲撃事件にも太刀打《たちう》ちできる。

もちろん１００％防げるわけではないが、それでも被害を最小にとどめられるかもしれない。なによりも、**優秀な予知型ＡＩが目を光らせているとなれば犯罪抑止効果は抜群だろう**。近い将来、ＡＩが正義のヒーローになる。

違法駐車撲滅

街でよく目にする違法駐車。日々、取締りが行われているが、中心になってその役目を果たしているのは、警察官ではなく駐車監視員だ。警察が委託する会社から派遣されている、「緑のおじさん」と呼ばれる人たちである。

駐車違反の取締りの約7割が彼ら駐車監視員の手によるものだ[※10]（残りが警察官）。詳細は不明だが、その委託会社に支払われる費用はそうとうなものになるだろう。もちろん私たちの税金が財源である。

そんな人海戦術に税金を使うのはもったいない。**スマートフォンで撮影した違反車両の写真を、だれでもそのまま警察に送信できるアプリを開発すればいい。**ナンバープレート込みの写真、そしてタイムスタンプさえあれば、駐車違反の立証と特定はできる。

※10　警察庁交通局「駐車対策の現状」（2022年11月）

緑のおじさんは撤廃。そのアプリにより、一般市民に協力を求める。市民みんなに監視員になってもらうわけだ。そうすれば緑のおじさんがいなくても、全国の隅々にまで監視の目を行き届かせることができる。

通報してくれた市民に謝礼を払う必要はないだろう。だれしも違法駐車には迷惑している。タダであっても喜んで協力してくれるはずだ。

嫌がらせやイタズラが増える？　心配無用だ。撮影時刻の改ざんや、フェイク画像（合成写真）はＡＩ（人工知能）で検知できる。虚偽通報を何度もするような人はアカウント停止にすればすむ話だ。

相互監視社会になって息苦しいと言う人がいるかもしれない。でも市民の駐車監視員化は、江戸時代の五人組や、共産圏の密告制度とは根本的に違う。

犯罪（駐車違反）をでっちあげることはできないし、そもそも通報者に報奨金が発生するわけでもないのででっちあげるメリットがない。モラルやマナーの違反ではなく、明らかな違法行為を解消する仕組みなのだ。やましいことがなければなんの問題もないだろう。

ぜひこのコスパのいいアプリと仕組みを導入してもらいたい。

Chapter

2

お金・経済

史上空前の人口減、
少子高齢化。
あなたがいまやるべきことは?

円安は続き、円安が起爆剤になる

いま日本は記録的な円安におちいっている。この円安はしばらく続くだろう。そう簡単には解消しない。

投資のプロであっても、将来の株価を正確に予想することはできない。同様に、為替も正確に的中させることはできない。しかし他国の通貨との状況を比べることなどから、大まかな予測は可能だ。

２０２２年10月、円相場が１ドル＝１５２円目前まで急落した。じつに、１９９０年８月以来およそ32年ぶりの円安水準となった。経済に興味がない人でも、記録的な円安のニュースは耳に入ったはずだ。やや落ち着きつつあるが、それでも２０２３年５月現在、１ドル＝１３０円台を推移していて、円の低空飛行は続いている。

いま起きている円安の原因は、おもにアメリカと日本の金利差によるものだ。日本はゼロ金利政策を続けている。一方、アメリカは生活費高騰《こうとう》に対処するため、金利を積極的に引き上げた。

金利が高いほうが、投資家にとってその国の通貨の魅力度は増す。日本も金利を上げれば円安対策ができるが、金利を上げると今度は国内景気が悪化してしまう。企業や個人が資金を借りにくくなり、経済活動が抑制され、経済成長が鈍化するからだ。円安によって生活必需品が高騰するよりも、不景気のほうが社会不安は大きくなる。だから政府も日銀も金利を上げることができない。

２０２３年４月、日本銀行の総裁が代わり新体制となったが、大規模な金融緩和策は維持される見通しだ。ならば円安もしばらく続いていくだろう。

加えて、日本経済の実力不足も円安に拍車をかけている。市場というのは残酷なもので、日本経済の実力は通信簿のように円の為替レートで表されてしまう。

その国の経済力を示すＧＤＰ（国内総生産）だけを見ると、日本は依然として世界第3位の経済大国だ。しかし、国民の総数で割った「国民一人あたりのＧＤＰ」は２０２２年時点で世界31位。実質経済成長率にいたっては世界１６８位に甘んじている。[※1]

つまり「日本経済は成長していない」と烙印を押されているに等しい。

※1　国際通貨基金「世界経済見通し」（2023年4月版）

物価上昇などのデメリットをもたらす円安だが、メリットもある。

例えば、インバウンド需要は爆発的に伸びていく。円安になっている日本は、海外の観光客からすればバーゲンセール状態だ。そりゃあ大挙してやって来るわけだ。今後、日本は本格的な観光立国になっていく。

そして円安になると輸出産業も潤《うるお》う。海外市場で安く売ることができるようになり、価格競争力がアップ。売上は伸びていく。

その結果、**為替レートは再び円高方向に振れていくことになるだろう。**

でもそれは長く円安が続いたあとのことである。当面は円高になることは期待できない。私たちにできることといえば為替レートに一喜一憂《いっきいちゆう》せず、足元のビジネスに力を入れることなのだ。

2022年から急激な円安トレンドに

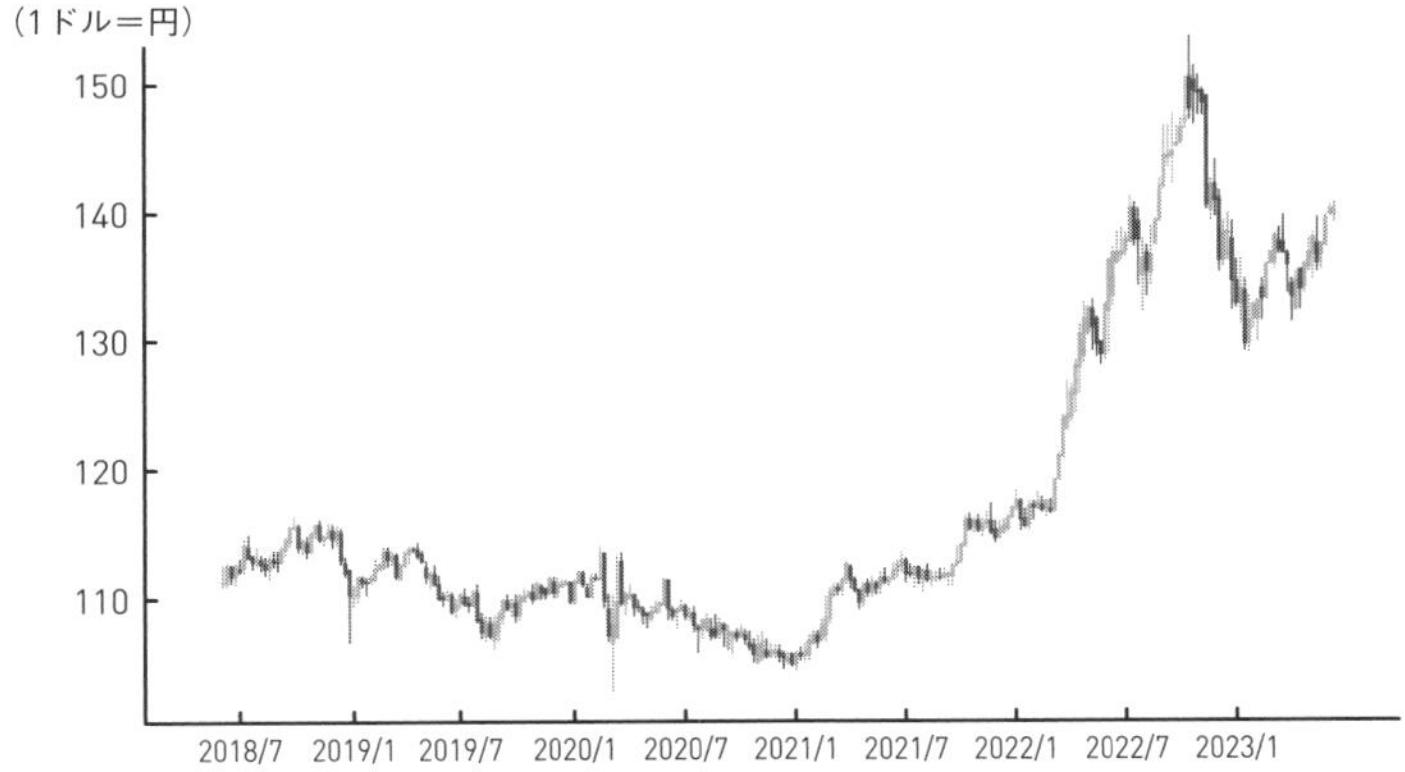

円安のメリットとデメリット

円安のメリット

輸出企業の利益増加

日本製品の海外での価格が相対的に下がり、価格競争力がアップ。輸出企業の利益が増える

観光産業の活性化

外国人観光客が日本を訪れやすくなる(旅費が安くてすむ)。観光に関連する産業が活性化する

円安のデメリット

輸入コストの増加

食料品やエネルギー、飼料など輸入品の価格を上昇させ、生活コストを高める

国内資産の価値が下がる

国内の円資産の価値が下がる

円高のメリット

輸入コストが下がる

輸入品の価格が下がる。輸入依存度が高い商品のコストが安くなる

通貨の国際的な信用が向上

経済が健全であるという国際的な信用が向上。海外からの投資が促進される

円高のデメリット

輸出企業の利益減少

日本製品の海外での価格が相対的に上がり、価格競争力がダウン。輸出企業の利益が減る

観光産業の萎縮

外国人観光客が日本を訪れにくくなる(旅費が高くつく)。観光に関連する産業が萎縮する

がん保険料は大幅に値上がりする

今後の日本では、がん保険の保険料がどんどん値上がりしていく。がん保険が成り立つ仕組みから考えると、その理由はすぐに理解できる。

がん保険にかぎらず、そもそも保険とはリスクヘッジの仕組みだ。世の中には、めったに起こらないものの、かりに自分が起こしてしまった場合、個人ではリスクを背負いきれないアクシデントというものがある。例えば、失火（過失による火事）や自動車事故がそうだ。数百万円、数千万円、場合によっては数億円単位の賠償金を請求される。個人では到底まかなえない。

だから事前にリスク分散しておく。みんなであらかじめお金を出し合って協力する。そのいわば元締めとなるのが保険会社だ。保険会社は加入者から少しずつお金を集め、個々人の「もしも」のときに備えるわけだ。

失火や自動車事故などは「めったに起きないからこそ、加入者の保険料は少しで済む」とも言える。

しかし一方、がんは「国民病」といわれ、じつに国民の2人に1人が罹《かか》るとされる病だ。めったに、どころか頻繁に起きる。頻繁に起きるぶん、がん保険から拠出される治療費の全体総額はかさむ。そしてその治療費（給付金）をまかなっているのは、ほかでもないがん保険の加入者たちだ。勘の良い人なら気づくと思うが、がん保険という仕組みは加入者にとって合理的ではない。リスクヘッジとして単純に割高なのだ。

私は自宅や自動車を所有していたときには火災保険や自動車保険に加入していた。でも、がん保険には一度も加入したことがない。もちろん今後も加入する気はない。

すでに割高ながん保険だが、これが今後さらに値上がりしていく。

日本人の平均寿命が延び、がん患者がさらに増える傾向にあるからだ。国立がん研究センターの統計で、がんの罹患《りかん》数と死亡数の増加は、人口の高齢化がおもな原因だと結論づけられている。※2

そして平均寿命は今度も延びていく。厚生労働省の発表によれば２０４０年には男性が83・27歳、女性は89・63歳になる。※3

※2　国立がん研究センター「年次推移」（2022年９月）
https://ganjoho.jp/reg_stat/statistics/stat/annual.html
※3　厚生労働省「厚生労働白書」（2020年版）

無知なインフルエンサーらが「日本ではがんが増えている。これは添加物や抗生物質、ワクチンのせいだ！」などと騒ぐことがある。だがそれはくだらない陰謀論だ。

昔はがんに罹患するまえにくも膜下出血や心筋梗塞など、血管疾患系の病で多くの人が命を落としていたにすぎない。がんという病にとって最大の支援者は時間だ。人間は年齢を重ねれば重ねるほど、がんに罹る可能性が高まっていく。生体としてそういうメカニズムなのだ。

日本社会は少子高齢化を突き進んでいる。がんに罹りやすい高齢者が増え、その一方でがんに罹りづらい現役世代の数は減っていく。**いまですら割高ながん保険だが、今後はさらに保険料を値上げしていかないと、保険会社のビジネスは成り立たなくなってしまうのだ。**

あなたにとってがん保険は本当に必要なのか。真剣に考えたほうがいい。日本には手厚い公的医療保険制度がある。万が一、がんに罹ったとしてもその制度で基本的には充分だ。がん保険などという、コスパの悪い出費をあえて選ぶのは賢明ではない。

保険料の分配

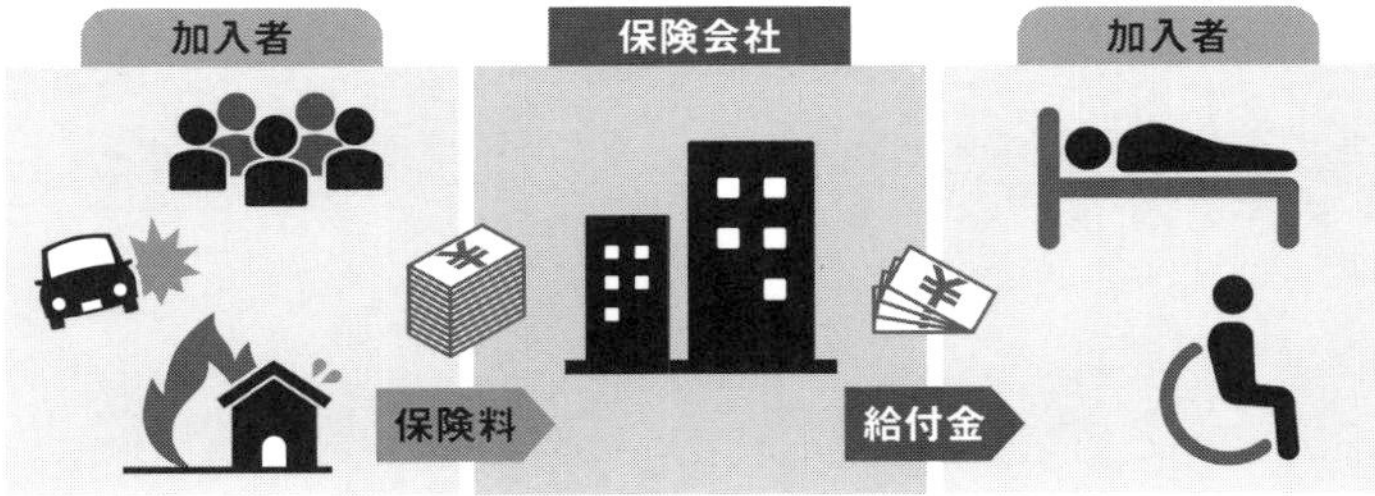

高齢化の状況

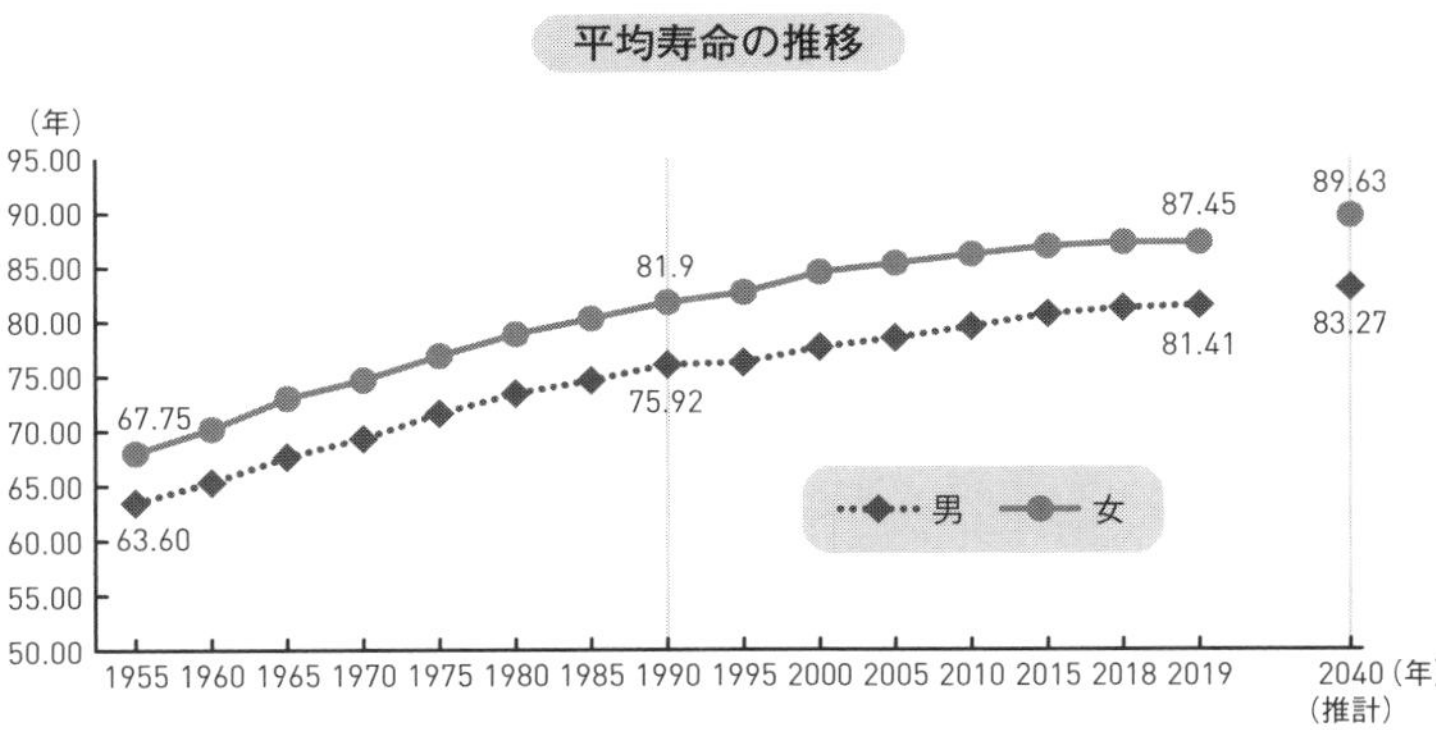

厚生労働省「厚生労働白書」（2020年版）より

年金は絶対に破綻しない

現役世代の多くが国の年金制度に対してかなり懐疑的だ。「自分たちの世代は年金をもらえない」とぼやく人もいる。だが断言する。年金制度が破綻することはない。そもそも日本の年金制度は、現役世代が支払った保険料を高齢者に給付する「世代間での支え合い」で成り立っている。専門的に言えば「賦課《ふか》方式」というやつだ。日本の出生数は減っているものの、現役世代が0人になることはありえない。賦課方式というシステムを採用している以上、破綻することは論理的にありえないのだ。

また、現役世代が納めている年金保険料はなにもそのまま銀行に置かれているわけではない。GPIF（年金積立金管理運用独立行政法人）という機関が年金積立金を運用している。

GPIFは2001年の運用開始以降、累積で98兆円もの収益を上げている（202

2年度第3四半期時点)。これで将来的な年金財源の目減り分がすべて補えるわけではないが、この運用益は心強いものだ。

ほかにも年金制度にはこまめなバランス調整が施されている。「年金の繰下げ受給」という言葉を聞いたことがないだろうか。年金の受給開始は原則65歳だが、これを個々人の判断で遅らせることができる。

もしそうやって繰下げて早死にしたら、生涯の年金受取額は65歳から受給した場合の金額を下回る。でも繰下げて長生きしたら、65歳から受給した場合の金額を上回っていく。

その損益分岐の具体的な目安は、受給開始年齢を70歳まで繰下げた場合なら81歳、75歳まで繰下げた場合なら86歳となる。ようするに繰下げてその年齢を超えれば得するわけだ。すると「まだ健康だし、年金はもう少し先に受け取ろう」と考える人も出てくる。

年金制度の改正により、繰下げ受給の上限年齢が70歳から75歳まで引き上げられたのが、2022年4月。政府、厚生労働省は、万策を講じて年金制度を死守している。国家がつぶれないかぎり死守するだろう。

年金制度は破綻しない。とはいえ、いままでどおりというわけにはいかない。平均寿命の延伸や少子高齢化はこれから加速していく。ならばとうぜん、繰下げ受給の上限年齢はさらに調整されるだろうし、年金受給権を得る年齢も現状の65歳から引き上げられるかもしれない。さらに言えば、受給額がいまより減る可能性もある。

不公平？　そのとおりだ。現役世代の心情からすれば不公平だろう。だが、そうであっても年金を納めないという判断は間違いだ。

第一に、国民年金の納付は義務だ。そしてなにより重要なのが、障害基礎年金や遺族基礎年金といった制度だ。これらの制度は年金保険料を納付していなければ適用されない。未納のままだと、あなたやあなたの家族に「もしも」のことが起きたとき、国からじゅうぶんな支援を受けられなくなってしまう。

今後、年金受給額は減るかもしれない。かりにそうなっても老後の生活資金の大きなウエイトを占めることには変わりない。したがって年金を納めないという選択肢はないのだ。

年金の受給開始年齢ごとの損益分岐点

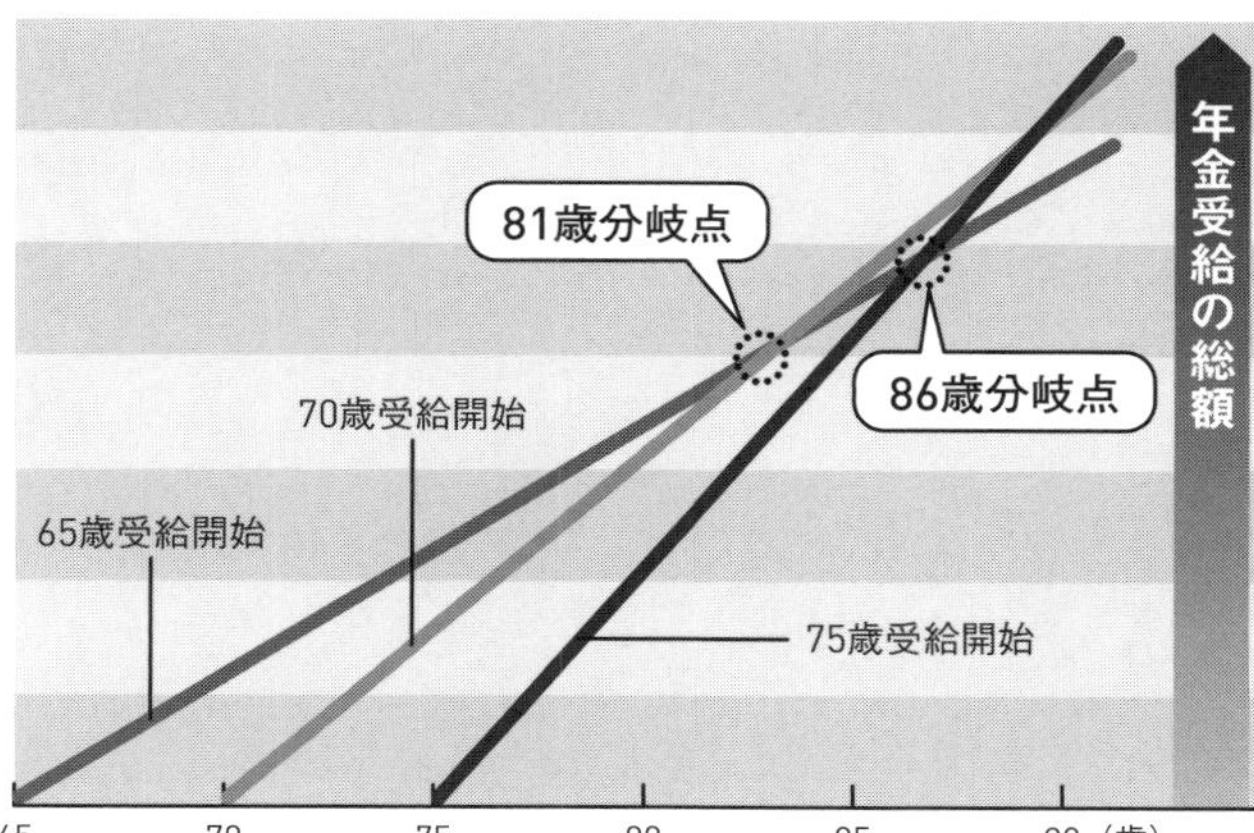

資産形成の鉄則

「堀江さんが保有している上場株式の銘柄を教えてください」
手っ取り早くお金を稼ぎたい人が多いのだろう。こんな質問をよく受ける。結論から言えば、上場銘柄なんて持っていない。たんなるマネーゲームには興味がないからだ。私が勧める投資は自己投資だ。大きなリターンを得たいなら起業がベストだろう。

ここ数年、日本では投資の機運が急に高まった。ｉＤｅＣｏ《イデコ》（個人型確定拠出年金）やＮＩＳＡ《ニーサ》（少額投資非課税制度）などの税制優遇措置が適用される制度もすっかり浸透した感がある。２０２４年には、現行のＮＩＳＡをさらに拡充した「新ＮＩＳＡ」もスタートする。

「貯蓄から投資へ」と政府もそんなスローガンを掲げ、国民に投資による資産形成を促している。なら、この激動の21世紀においてふさわしい投資方法とはなんなのか。

ここで簡潔に私見を述べておこう。

多くの人が関心を持っているのはアメリカ株だろう。特に「S&P500」というアメリカの代表的な株式指数に連動する投資信託やETF（上場投資信託）が人気だ。たしかに、ここ20～30年のアメリカ経済はすこぶる好調だ。それまでのビジネスのあり方を一変させる企業や製品のことをゲームチェンジャーと呼ぶが、2010年代のゲームチェンジャーは「スマートフォン」だった。だからGAFA（Google・Apple・Facebook・Amazon）などのIT企業が業績や株価を大きく伸ばした。

そして2020年代以降のゲームチェンジャーの本命は、ロケットや衛星などの宇宙開発事業だろう。アメリカではスペースXやブルーオリジンといった宇宙開発企業の活躍がめざましい。今後もアメリカが世界経済をリードする。

でも、だからといって、S&P500やアメリカの企業の株を買えばいいとは言い切れない。株価は必ずしも業績には比例しないからだ。宇宙開発企業が業績を伸ばしても、それが株価や株式指数に反映されるとはかぎらない。

このように投資に確実性はない。確実性がないからこそマネーゲームが成立するわけだ。となるとポイントになってくるのは「どこに投資するか」ではなく、「どう投資するか」だろう。

投資には「長期・分散・低コスト」という3つの鉄則がある。

投資は株価上昇を期待して行うが、下落するリスクもある。でも長期保有すればリスクを軽減でき、より大きなリターンを得やすくなる。

投資の世界に「卵は1つのカゴに盛るな」という金言がある。投資をするなら、リスクを分散させるべきという戒《いまし》めだ。分散のやり方はさまざまだ。**いちばん手っ取り早いのは「インデックスファンド」という運用商品に投資することだろう。**インデックスファンドとは、日本のTOPIX《トピックス》（東証株価指数）などの株価指数（インデックス）に連動するように設計された投資信託。このうち「全世界株式」などの名称がついている商品を選べば、世界中の株式に分散投資することができる。

将来の正確な株価はだれにも予測できない。でも取引手数料や信託報酬が高いとその時点で不利になる。できるだけ低コストの金融商品を選べば投資は有利になる。「長期・分散・低コスト」この投資の鉄則は、10年後の未来にも不変なのだ。

銀行が見境ない営業をはじめる

銀行の経営が年々厳しくなっている。銀行はかつて融資金利と預金金利の「利ざや」で大きな収益を上げてきた。でも長引く超低金利により、それも減益の一途だ。それでもネット銀行（インターネット専業銀行）の場合は、人件費や店舗運営コストを低く抑えることができる。

一方、メガバンクや地銀など店舗型銀行はそうもいかない。多くの実店舗と人員を抱えているからだ。一見すると体力がありそうなメガバンクも余裕がなくなっている。駅前の一等地などを中心に店舗の統廃合や移転の動きが進んでいるのがその証拠だ。

経営悪化に苦しむ店舗型銀行が、新たな収益源の柱として目をつけているもの。それが**手数料をたっぷり上乗せした運用商品の販売だ**。すでに銀行窓口などで販売されているが、より気合いを入れて売ってくる。今後はなかば欺《あざむ》くような商品も平然と売りつけてくるだろう。

これからの日本では、年金の受給額の減少や、受給開始年齢の繰下げが予想される。老後の生活費を心配する人が増え、銀行はそこにつけ込んで営業を仕掛けるはずだ。「銀行がそんなことするの？」と思われるかもしれない。するのだ。店舗型銀行の経営はさらに悪化していく。超低金利に加え、地方経済の停滞も銀行経営の逼迫《ひっぱく》に追い打ちをかける。雇用規制のある日本では、リストラもしづらい。

背に腹は代えられなくなった銀行が悪魔に魂を売っても、なんらおかしくないのだ。


厄介《やっかい》なことに、銀行は私たちのお金の流れを把握している。しかも、正確だ。預金残高はもちろん、ボーナスや退職金など臨時的な収入の有無、クレジットカードの支払い状況など、すべて筒抜けである。ボーナス、退職、子どもの進学――折に触れて手数料の高い運用商品を勧めてくる。

もはや店舗型銀行の存在自体がリスクだ。近づかないにかぎる。

高い手数料のかかる運用商品は、投資の鉄則の1つである「低コスト」に反する。手を出すべきではない。

私と共著を出したこともある経済評論家の山崎元さんが「手数料が0・5%を超える運用商品はすべてゴミだと思え」と言っていた。同感だ。そして、このルールに従うと、銀行の窓口で販売されている運用商品に買うべきものはなにひとつないことになる。むしろ買ってはいけないものしかない。

私たちにできる対策としては、ネット銀行にお金を置いておくことだろう。

ネット銀行は、人件費や店舗運営コストが低いぶん、販売している運用商品の手数料も安い。客に営業するとしても比較的マイルドだ。そもそも銀行員と対面で接触する機会がなく、運用商品を直接売りつけられる心配がない。

運用商品の購入代金の内訳

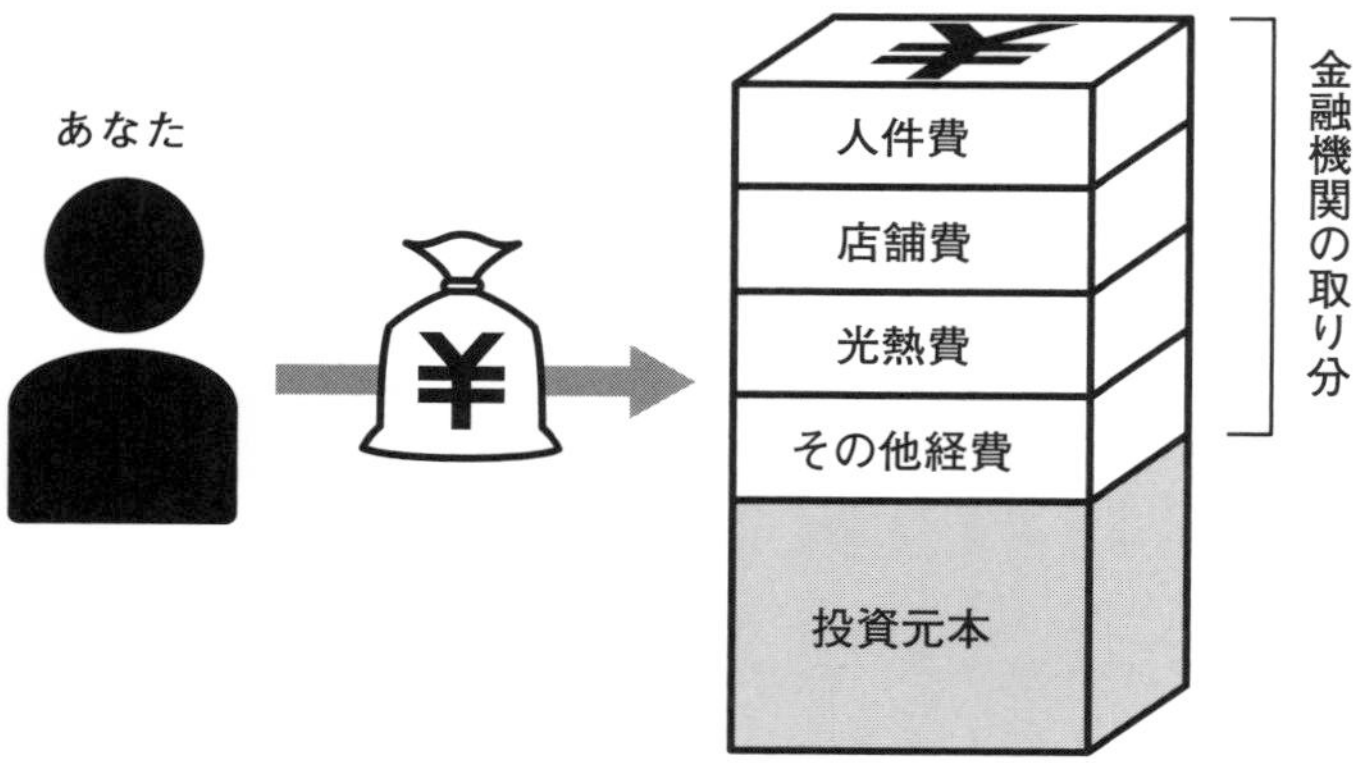

経済の神様はトイレに住む

東南アジアの経済発展がものすごい。「なんで急に東南アジアの話題?」と思う人もいるだろうが、これは今後の日本経済に大きく影響するテーマなのだ。

私はタイが大好きで、定期的に訪れている。現在のタイは著《いちじる》しく経済発展している。日本では東南アジアの国々を「発展途上国」だといまだに思い込んでいる人も多い。たしかに農村部などはまだ貧困から抜け出せていないが、都市部の充実ぶりには目を見張るものがある。

例えばバンコク。先日訪れた際には、空港から都心部まで幹線道路はすべて5Gの電波がカバーしていた。高層ビルもずらりと立ち並んでいる。

日本でバブル期にたくさんのゴルフ場が造られたように、バンコクでもゴルフ場が続々と新設されている。少子高齢化によってキャディが雇えず、セルフプレーしかできないゴルフ場も増えている日本とは対照的に一人一人にキャディがつく。さらに、ヤマハ製の新型電動カートがそこら中を走り回っている。とにかく景気がいい。

タイといえば、タイ古式マッサージが有名だ。庶民的なマッサージ店でも値上げが行われており、チップも含めると1時間500バーツ程度は必要。日本円にすると大体2000円くらいになる。この水準はすでに日本の地方都市と大して変わらなくなっている。もう少しハイグレードなお店になるととうぜん価格は高くなる。そのうち東京の価格も追いつかれ、そして追い抜かれることだろう。

私は「経済の神様はトイレに住む」と思っている。トイレの近代化具合が経済発展のバロメータのような気がするのだ。昭和の日本のトイレは本当に汚く、例えば国鉄のトイレはまさに不潔の代名詞だった。それがいまや駅のトイレはめちゃくちゃ綺麗《きれい》になっている。街中のちょっとした無料の公衆トイレですらかなり綺麗だ。

中国でも似たようなことを感じた。私が初めて中国を訪れたのはもう20年以上前のこと。当時の公衆便所は、いわゆる「ニーハオトイレ」と呼ばれ、壁やドアがない代物だった。その後、中国経済は発展を遂げ、日本のようにトイレが綺麗になっている。このトイレの近代化は、バンコクをはじめ東南アジア各地でも進んでいる。

東南アジアの経済発展はデータにも表れている。東南アジアの2023年の成長率予測は4・7%[※4]（日本1・3%[※1]）だ。特に、マレーシア、フィリピン、タイ、ベトナム、カンボジアなどの経済発展が著しい。

さらに**東南アジアの国々は、人口ボーナス期に入っている。人口ピラミッドでも若い世代が多く、15歳以上65歳未満にあたる生産年齢の比率も増加を続けている。**まるで高度経済成長期の日本のような状況なのだ。海外からの投資も増えており、今後さらに経済発展は進んでいく。

日本を追い抜け追い越せと言わんばかりの熱を感じるし、本当に追い抜いてしまう勢いなのだ。

※4　アジア開発銀行「アジア経済見通し」（2023年4月版）

働き先として除外される日本

日本には多くの出稼ぎ外国人労働者がいる。特にベトナム、インドネシア、タイといった東南アジアからやって来る若者がたくさんいて、彼らはいわゆる3K（キツい・汚い・危険）と言われるような仕事にも従事してくれている。日本の水準では高くない給料でも、彼らの母国に比べれば高い給料になるからだ。日本の安くて良質なサービスは彼らによって支えられている面が大きい。

そうした外国人労働者の大半は、日本政府が定める外国人技能実習制度により在留資格を得ている。だがこの技能実習制度、かねてから悪名が高い。「技能実習」の名のもとに外国人労働者を不当にあつかう雇用主が少なからずいるからだ。

低賃金で劣悪な労働環境。残業代の未払い。暴行やセクハラ。果ては労災隠し。そんなケースが横行しているのだ。同じ日本人として情けないし、申しわけない。

この技能実習制度の問題は2000年代からすでにアメリカや国連から「奴隷制度

に等しい」「虐待的、搾取《さくしゅ》的な慣行」と指摘され、改善を求められていた。しかし日本政府は積極的な改善策を打ってこなかった。そしてやがてSNSの普及にともない、その労働実態がより広く明るみになったことでいま現在、国外のみならず国内からも批判が噴出している。

もちろん、誠実にやっている雇用主も多くいる。それでもその外国人労働者たちは「技能実習生」であって「正式な移民」ではないため、社会保障などの権利がほとんどないに等しい。こんなことをやっていては、せっかく日本に来てくれた外国人たちからの評判は地に落ちていく。

不当な搾取に遭った彼らは、間違いなく母国の知り合いにその内実を伝えるだろう。いくら日本が住みやすい国であろうが働きに来てくれなくなる。その結果、日本が世界に誇るサービス力も必然的に劣化してしまうだろう。

そもそもなぜこんないびつな制度が導入されているのか。その背景には、移民に対する日本人のアレルギー的な反発がある。大多数の日本人は条件反射的によそ者を拒む。だから政治家は「人手不足なので、日本でも移民政策を進めます！」とは言わない。選挙でマイナスになるからだ。そこで苦し紛《まぎ》れに「あくまでも実習生。彼らは何年かすると国に帰るので大丈夫」という建前で実質的な移民労働力を得ている。

しかしそんな誤魔化《ごまか》しはもう通用しない。きちんと権利を保障した移民制度の導入を真剣に考えないといけない段階に入っている。

ただでさえ日本は外国人労働者にとって魅力的な場所でなくなりつつあるのだ。日本の賃金はなかなか上がらない。日本人でもそうなのだから、技能実習生の賃金は推して知るべしだ。加えて円安だ。母国に送金したところで以前ほどの利幅にはならない。また日本経済の低落を尻目に、いまや東南アジアは経済成長の最中だ。**日本で働くメリットは見出しづらい。実際、東南アジアや中国の若者たちは日本ではなく、アジア各国の大都市に集まりはじめている。**日本は働き先として除外されつつあるのだ。

人手不足が叫ばれて久しい日本。でも指をくわえて待っていても外国人労働者は来てくれない。正式な、健全な移民制度を定めるしかないのだ。

日本と東南アジアの逆転現象

これまで出稼ぎ労働者を受け入れる側だった日本。しかし、日本人が海外に出稼ぎするケースが増えている。

2023年2月、NHKの『クローズアップ現代』で、海外に出稼ぎに行く日本の若者たちが特集され、話題になった。日本にいたころは手取り20万円だった介護士が、英語を学びオーストラリアで働きはじめたところ月給80万円近くになったという。[※5] 似たような話は増えており、日本で年収300万円だった寿司職人が、アメリカで年収8000万円になったというニュースもネットを騒がせた。[※6]

まだ多くの日本人にとって、日本人が海外に出稼ぎに行くことはなかなかイメージできないだろう。「ジャパン・アズ・ナンバーワン」だったころの思い出を引きずり、日本のいま置かれた状況を直視したくない人もいるだろう。でも日本人が出稼ぎする光景は今後あたりまえになっていく。

※5　NHKクローズアップ現代「安いニッポンから海外出稼ぎへ　〜稼げる国を目指す若者たち〜」（2023年2月1日）

※6　テレ朝news「"出稼ぎ" 日本人　寿司職人は年収8000万円に　バイトでも給料 "倍以上"」（2022年10月20日）

日本には賃金が上がりづらい状況がそろってしまっている。

例えば、賃金上昇につながる労働市場の流動性がない。欧米と違い、転職しても年収が上がりづらい。

また、国民にデフレマインドが根付いている。これにより原材料や燃料などのコストが上がっても、企業は値上げしづらいのだ。ちょっとでも値上げすると世間から「値上げはけしからん」と言われる。それどころか「うちは値上げをしません」と宣言する企業に拍手喝采《かっさい》するような風潮すらある。本来はサービスや商品の付加価値を高め、価格も上げ、それを従業員に還元すべきだ。しかし、そのサイクルが回らないので賃上げもできない。

ロシアのウクライナ侵攻以降、生活必需品を中心に値上げラッシュが続いている。これは原材料費や燃料費の高騰《こうとう》、あるいは円安の影響によるものであるため、この値上げ分が企業や従業員に還元されるわけではない。

シェフをはじめとする職人系の人材、あるいは介護職などサービス系の人材を中心に、高い賃金を求め海外に移住する人がさらに増えていく。今後の日本において介護士の月給が１００万円近くになるなんてことはどう考えてもありえない。そりゃあ海も渡る。

もっと言えば、性サービスに従事する女性も増えてくるだろう。中国人が日本の風俗で爆買いをしていることが話題になったようにその需要は高い。

出稼ぎ先は、物価の高いアメリカやオーストラリアだけではない。経済発展の著《いちじる》しい東南アジアも魅力的な渡航先になるだろう。そう、これまで出稼ぎ労働者を受け入れていた日本の立場が完全に逆転していくのだ。

こういった話をすると、大半の日本人は「行きたければ行けばいいい」という反応をする。しかし国内の労働力が不足し、日本の産業は空洞化してしまう。その結果、日本経済はますます回らなくなる。割を食うのはほかならぬ日本人だ。

日本は外資で復活する

アメリカは移民制度をきちんと整備し、優秀な若者にインセンティブを持たせることで、国の新陳代謝を積極的に行っている。これが経済発展の原動力にもなっている。特にIT業界では優秀なインド系の人材が多く働いている。グーグルの現CEOのサンダー・ピチャイ氏、マイクロソフトの現CEOのサティア・ナデラ氏、こちらはともにインド出身だ。彼らがCEOに就任して以降、両社の株価は上昇している。

一方で、日本は「現代の奴隷制度」と指摘される技能実習制度なるイカサマを駆使し、ゾンビ企業を生き残らせようと必死だ。ゾンビ企業、つまり従業員を低賃金でこき使わないと経営できないような企業のことである。

適切な人件費で経営できないような企業は潰《つぶ》れてしまったほうが社会のためだ。商品やサービスが適正価格となり、だれかの犠牲のもと安くする必要がなくなるからだ。

果たしてこんな日本に行きたいと思う外国の若者がどれだけいるのだろうか。繰り返しになるが、日本でも移民を認めるべきだ。でも日本人の大半は移民にアレルギーがある。特に自民党を支持する保守派の人たちの反対はすさまじい。支持率低下や選挙で大敗するリスクを負ってまで、政府が移民制度の導入に本腰を入れて取り組むとは考えづらい。

ならほかに日本経済を再生する手立てはないのか。ある。外国資本の力を借りるのだ。

そのモデルケースが北海道のニセコ町だ。かつては陸の孤島であったニセコだが、外資を受け入れてから世界的なスノーリゾートに変化した。高級リゾートホテルが続々とオープンし、地価も高騰《こうとう》。普通のコンビニで、神戸牛やドンペリが販売されるほどの好景気に沸いている。

ニセコの発展は外国資本の存在なしには語れない。外国資本は大規模な投資でリゾートなどを整備し、しかも日本のデフレマインドに引っ張られず、国際水準で価格設定をした。

そしてニセコがここまで大きく変わることができたのは、あまりにも過疎が進んだことにある。昔から住んでいる人たちを中心に外資を呼び込むことに反対する声もあったが、過疎化が進んだことで既得権益層の力が弱まっていったのだ。

近い将来、この「ニセコ」が「日本」になる可能性はありえる。

ニセコが外国人から愛される理由は、豊富な降雪量とパウダースノーである。同様に、日本には外国人に人気の文化、食、自然、とコンテンツがふんだんにある。海外の人からすれば喉《のど》から手が出るほど欲しいポテンシャルが眠りまくっている。そのポテンシャルを外資なら存分に生かしてくれるだろう。

外資は日本企業のようにデフレマインドに毒されていない。外国資本がグローバル基準で賃金を上げたり、適正価格で商売したりすることで、他の日本資本の企業にも影響を与えてくれるはずだ。

いま日本の経済力は落ちている。でもこれは見方を変えれば、既得権益層などの抵抗勢力の力が弱まっていくことを意味する。日本全体がニセコのようになりえる条件はそろいつつあるのだ。

日本はポテンシャルの宝庫であり、世界中にファンがいる。ならばさらに、彼らを優遇する政策を行えば、一定以上の資産を持った外国人たちが大挙してやってくるだろう。例えば、経済特区をつくり、そこに住んでいる人たちは「株式の譲渡益課税をゼロ」とすれば、富裕層や投資家を誘致できる。

すでにシンガポールやドバイなどは株式譲渡益課税をゼロにしたことで、資産家がたくさん集まっている。シンガポールやドバイは小さな国であり、自然環境も豊かなわけではない。食文化もいまいち。それでも集まるのだ。

つまり日本は圧倒的に有利だ。株式譲渡益課税を0％でなくても5％程度にするだけで多くの投資家が移住してくる。そして日本にお金をたくさん落としてくれる。

ただし、こういった政策は国民受けが抜群に悪い。「金持ち優遇」などと野党やメディアが騒ぎ出す。そう考えると、やはり外資の力によって日本経済を盛り上げてもらうほうが現実的かもしれない。

沖縄はハワイになれる

言わずと知れた大人気リゾート地であるハワイ。ビーチ沿いには「ヒルトン」や「ザ・リッツ・カールトン」「シェラトン」など世界的な有名ホテルグループのホテルが林立している。

ハワイというリゾート地は、じつは人工的につくられたものだ。ハワイに古くから伝わる文化は存在する。しかし私たちがイメージするハワイの雰囲気、例えば入国時にプレゼントされる花のネックレスもフラダンスも、空港から海岸沿いに連なるパームツリーも、もともとあったわけではない。「アメリカ人の理想のリゾート地」としてプロデュースされたものだ。

ひるがえって日本の沖縄。日本人だけでなく、中国人などアジアの人たちからも人気のリゾート地だ。海は綺麗《きれい》だし食べ物もおいしい。絶海の孤島ではなくインフラもしっかりしている。

なにより、地の利が抜群だ。中国や東南アジアから近距離で、しかも各国それぞれ経済的に勢いがある。これはハワイにもない魅力のひとつであるし、ここまで良い条件がそろった海のリゾート地は世界にもなかなかない。

でもある程度環境が整っているせいで、**ハワイに比べると素朴な魅力で勝負しようとしているふしがある。ハワイのようにきちんとプロデュースすれば、沖縄は世界屈指のリゾート地になれる。ハワイに並ぶどころか、追い抜けるだろう。**

リゾート地としての沖縄の課題は大きく2つある。1つめはホテル不足だ。低価格〜ミドル帯のホテルは山ほどある。でも富裕層向けのラグジュアリーホテルが危機的に不足している。一般の観光客もお金は落としてくれるが、富裕層に比べると桁が1つも2つも違ってくる。

ハワイで100年以上の歴史を誇るラグジュアリーリゾート「ハレクラニ沖縄」など、大規模リゾートホテルの開発は進められている。でも、まだまだ足りていない。特に中心地の那覇には皆無と言ってもいいくらいだ。

世界有数のリゾート地になりえるポテンシャルがあるのだから、富裕層向けのホテルを拡充させるべきであった。そうしなかった背景には、日本に富裕層らしい富裕層がほとんどいないことが挙げられる。いわゆるIT長者はいるがほんの一握りだ。彼らばかりをターゲットにしても商売にはならない。ならば、ある程度お金を持っている海外観光客を狙い撃ちすればよかった。でも安易に国内観光客向けに安売りをしてしまっているのが現状だ。

2つめの課題は、沖縄が持つ既得権益の存在だ。そう、基地経済である。沖縄には米軍基地があり、膨大な予算が投入されている。ここにぶら下がっている地元の人たちがたくさんいる。この予算に頼ることでじゅうぶん暮らしていける人が少なからずいる。だから、わざわざ観光客向けのビジネスに力を入れなくてもいい。

ホテル不足と既得権益。この2つのハードルを越えられれば、沖縄が日本のハワイ、いやアジアのハワイのポジションを勝ち取れるだろう。

中国人はますます日本の土地を買う

中国人観光客が日本でブランド物や家電製品、コスメを買い漁る光景があたりまえとなった。いわゆる「爆買い」というやつだ。この爆買いは、ブランド物にとどまらず、日本の不動産にも拡がっていくだろう。すでに起きている事象であるが、今後さらに拡がっていく。

なぜ中国人たちがこぞって日本の不動産を買うのか。それは「価値がある」と思っているからだ。

1つめの価値は地価である。シンプルに、値上がりすることを見越しているのだ。特に都心の不動産価格は上昇している。地方や郊外の不動産価格がどん底ちかくにまで下落していくなか、依然として都心の土地は上昇し続けている。中国やその他のアジアマネーも大量に流入しており、少なくとも都心の地価は下がる要素が見当たらない。

そんな安定的な不動産が、円安によって割安で手に入れることができるのだ。中国人富裕層からしてみれば、日本の不動産はバーゲンセール状態である。だから日本の不動産をこれからも躊躇《ちゅうちょ》なくどんどん買い込んでいく。

そもそも中国人富裕層は、中国国内に資産を置いておくことにリスクを感じている。中国共産党による一党独裁体制では一寸先《いっすんさき》は闇だ。当局の意向による締め付けや規制強化はいくらでも起こりうる。例えば政府に批判的な態度を取ろうものなら、財産の接収、銀行口座の凍結、さらには逮捕といった処罰がざらに下される。

中国人富裕層はそうした理不尽な事態を警戒し、リスク分散のため海外に資産を移したがっている。そのリスク分散において、地理的に近く、バーゲンセール状態の日本の不動産は打ってつけなのだ。

中国人が感じている2つめの価値。それは「自慢したい欲」だ。

日本と違って、中国では土地の所有権がない。中国全土の土地は国家、あるいは農民が集団で所有しているのだ。マンションなど建物の所有権はあるが、土地には使用権しか認められていない。

そんな中国人からすれば「北海道の土地を持っているのは俺だ」「沖縄の離島を所有しているのは私」ということは一種のステータスになる。ようは、周囲に自慢することができる。

SNSの普及がこの自慢したい欲をさらに加速させる。日本人にも高級ブランドのバッグや財布を自慢したがる人はたくさんいる。それと一緒だ。似たような心理が中国人には土地というかたちで働くわけだ。

なぜ中国人たちがこぞって日本の土地を買うのか。

ここで指摘したその理由、背景は一時的なトレンドではない。中国の内政の問題とも深く結びついている。

経済大国・中国からの爆買いの手はしばらく伸び続けることになる。

中国人は二束三文の土地も買っていく

日本の不動産を爆買いしているのは中国人だけではない。北海道のニセコなどはオーストラリア人のスキーヤーやスノーボーダーたちに大人気で、外国資本ががんがん投入されている。

多くの日本人はそうした西側諸国の資本による不動産取得には好意的だ。ところがこれが中国人の手によるものになると一転して身構える。「日本が危ない」「国防の危機だ」などと恐怖心をあらわにするのだ。

そのように騒ぐ人たちの常套句《じょうとうく》はこうだ。「中国には国防動員法がある。有事の際には日本の土地が中国に国有化される」「国防動員法によって有事の際には国内外の中国人は軍事動員される。中国人が買収した土地がその拠点になる」といった調子だ。

でもそんなわけはない。中国人や中国企業が日本の土地を取得してもできることなんてたかが知れている。

かりに国防動員法によって日本の土地が中国のものになったとしよう。だが、それは日本にある、日本の土地であることに変わりはない。統治権は日本にあるのであり、中国から離れた日本の土地を、中国政府が支配することはできない。

あるいは、中国人や中国企業による自衛隊基地周辺の土地取得を危惧《きぐ》する人もいる。「自衛隊基地の近くの土地を購入し、工作活動を行っている」というような主張だ。だが、そもそも基地の近くに土地を所有して得られるような情報は、衛星データなどを使えば手に入る。自衛隊の機密情報を得ようとするならば、サイバー攻撃を仕掛けたほうが手っ取り早い。

加えて本当にそのような工作活動が目的なら、借地でもできる。なんなら、借りなくとも隣接地に忍び込めばいいだけだ。

「中国人や中国企業による水源地の買収」を不安視する人もいる。でもそれのなにが問題なのだろうか。たしかに世界的に水不足が叫ばれているが、そう簡単に日本の水を中国に運べるわけではない。中国人もしたたかなので、世界的に水不足になること、そして水源地の価値が上がることを見越して、土地を購入しているだけだ。

今後水不足になって水源地が必要になれば中国人から買い戻せばいい。いざとなれば、日本の法改正を行い、外国人による水源地の利用を制限することだって可能だ。

そもそも「中国人だから水源地を杜撰《ずさん》にあつかう」「日本人なら安全」というわけでもない。水源地にゴミの不法投棄をする日本人の不届き者もいるではないか。


なかには「日本の水源地を取得し、中国人が毒をまこうとしているんだ」などとトンデモ論を抜かす人もいる。万が一、本当に毒をまこうとするならば、わざわざ土地を購入する必要なんてどこにもない。


冷静に考えてほしい。中国人が日本の土地を購入するときには、購入代金だけでなく、さまざまな手数料や税金が発生する。単価が高いぶん、消費税だって大きい。購入したあとには固定資産税も発生する。

自衛隊基地周辺や水源地、離島などは、日本人も買わないような二束三文の土地も多い。そんな土地を中国人が買ってくれ、しかも税金まで支払ってくれるのだ。

「原野商法」という悪徳商法がある。これは原野や山林など価値のない土地を「将来的に高値で売れますよ」と勧誘する手法だ。

いまの中国人による土地の爆買いは、日本としては騙《だま》しているつもりはなくても、本来は二束三文で日本人すら手を出さない土地を、中国人がわざわざ高い金を払って買ってくれているとも言える。大いに買ってもらえばよいではないか。

今後、中国人をはじめとした外国人による日本の土地買収はさらに加速していく。それを国家の危機だと不安を煽《あお》るのはナンセンス。不安を煽るのではなく、むしろ「この島は風水的にすばらしいパワースポットと呼ばれている」などといったストーリーづくりに精を出し、さらに高値で買ってもらう努力をしたほうがいい。

ただでさえ国内経済が縮小していくのだから、日本人は商売人としてもっとしたたかになるべきなのだ。

北朝鮮のミサイルはずっと飛んでくる

北朝鮮が相も変わらずミサイルを発射しまくっている。日本海に落下したり、日本上空を飛んでいったりするケースもあり、そのつど日本人は憤りをあらわにする。日本政府は北朝鮮に強く抗議し続けているが、このミサイル発射実験がなくなる日はしばらくやってこない。だからといって日本に重大な危害が生じるわけではない。

核兵器には、自国に対する攻撃を強烈に抑止する力がある。

この事実をあらためて示したのがロシアであった。ロシアによるウクライナ侵攻は、国際社会から猛反発を受けた。厳しい経済制裁も行われているが、一方でロシアに対する直接的な軍事行動は行われていない。アメリカを中心とするNATO軍にかかれば陸海空いずれの領域でもロシアをあっという間に制圧できるだろう。

でもそれはNGなのだ。なぜならロシアが核兵器を保有しているからだ。ロシアに攻め込むと、いつ核兵器を撃ち込んでくるかわからない。もし核兵器が発射された場合、ワシントンやニューヨークが火の海になる。

核兵器を開発する北朝鮮。その目的は「いつでもアメリカに核ミサイルを撃ち込めるぞという状況」をつくり、アメリカと少しでも対等な外交を行うためだ。実際に、北朝鮮が核兵器を保有していたことで２０１９年、当時のトランプ米大統領が対話の席についた。

つまり北朝鮮にとって、核兵器と、それを飛ばすためのミサイルは金王朝を安定させるための数少ないカードなのである。

核ミサイルというのは「いつでも敵国側に撃てるんだぞ」という実力を見せつけてこそ初めて役に立つ。かといってどっかの国に撃ち込むわけにもいかない。そこで実験というかたちを取っている。では、どこに向かって打つのがベストか――。

まず、北朝鮮の西側は陸続きで中国がある。西側にミサイルを打ち上げ、失敗でもしようものなら、友好的な関係にあるとされる両国であっても一大事だ。

そして地球の自転の関係で、ミサイルは東の方角に打ち上げるほうがスピードが出て効率的となる。つまり、北朝鮮の東側にあたる日本海や太平洋に着水させるのが安全かつ有効なのだ。言わずもがな、北朝鮮の東側に位置しているのは日本だ。

北朝鮮としては、べつに日本を狙いたいわけではないが、状況的に日本がある方向に撃ち込むしかないわけだ。同時にそれで万が一、ミサイルが日本の領土にでも落ちたら北朝鮮は一気に国家存続の危機におちいる。日米同盟を結んでいるアメリカが黙っていない。国家元首・金正恩は暗殺のターゲットになり、金王朝はたちまち崩壊する。

また実験といえども、その威嚇《いかく》パフォーマンスも度が過ぎれば、アメリカの空母や爆撃機による波状攻撃でミサイル基地は一掃されかねない。そうならないように、**北朝鮮は細心の注意を払い、日本海や太平洋にミサイルを着水させているわけだ。**

北朝鮮はアメリカ全土を完全に射程におさめるＩＣＢＭ（大陸間弾道ミサイル）の開発を続けている。

アメリカと有利な交渉ができるまで、北朝鮮はミサイル実験と、核兵器の開発をやめることはない。日本がいくら騒いでも意味はないのだ。

Chapter

3

仕事・暮らし

あらゆる局面で
パラダイムシフトが起きる。
本質を見抜け

タイパ格差が拡がる

新型コロナウイルス騒動をきっかけに日本中に拡がったリモートワーク。そのまま定着するかと思ったが違った。大勢の人がオフィス出社に回帰しつつある。

普通に考えれば、リモートワークのほうが働き方の自由度は高まり、時間効率も生産性も向上する。でもそれはあくまで理屈の話なのだ。リモートワークが浸透しない背景には理屈じゃない人間の性《さが》のようなものがある。

リモートワークには〝周りの目〟がない。上司や同僚の視線を気にする必要がない。それでついついサボりがちになる。なかには昼間からこっそりビールを飲んでしまったなんて人もいる。

周囲の目線や相互監視によって生じる同調圧力を「ピアプレッシャー」と呼ぶ。そういう緊張感にさらされたほうが仕事がはかどる。そんな人が大多数のようだ。結局、リモートワークで成果を出せるのは、自分自身をしっかり管理できる人にかぎられる。

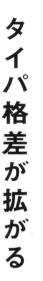

またリモートワークだとチャットツールなどのテキストを介したコミュニケーションが増える。そうなるとこれも理屈で言えば、手の空いたときにメッセージを確認すればいいのだから快適そのもののはず。だれかに話しかけられていちいち作業を中断させられるような煩わしい思いはしない。高い集中力でタスクをこなしていける。

でもこのテキストベースのやりとりにストレスを感じる人も少なくないらしい。そのような人は物事をしっかり整理し、文章化して伝えるのが苦手なのだ。つまり日本語能力が低い。日本語能力の低い人同士が、文章のみでやりとりすれば、たしかにカオスでしかない。

加えて、文面だけだと相手の感情が読めずにやりにくい、なんて声も聞く。仕事で毎度毎度、相手の感情を読む必要があるのか個人的には疑問だが、とにかくそんなテキスト弱者にしてみれば、サクッと口頭で伝えられるオフィス勤務のほうが性に合うのだろう。

かつて私は「電話してくる人とは仕事するな」と発言して炎上したことがあるが、そりゃあいまだに電話をかけてくる人が絶えないわけだ。

ようするに、リモートワークはいっけん生産性が上がるようでいて上がらない。それが大多数の実態である。いくらチャットツールが進化してもそれに適応できなければ意味はない。

一方で、**リモートワークによって生産性が向上する人も少数派ながらいる。彼らはその恩恵に浴し、タイパ（タイムパフォーマンス）を高め、高水準のワークライフバランスを獲得する。**家族と過ごす時間を増やしたり、副業をこなしたりする人もいるだろう。趣味に打ち込むゆとりもできる。

リモートワークで自由度の高い働き方をする人。昔ながらの管理、拘束された働き方を継続する人。今後はその二極化が顕著《けんちょ》になっていく。そしてそこには大きな格差が生じる。なんの格差か。豊かさだ。物心両面における豊かさである。

どちらを選ぶかは、あなた次第だ。

満員電車は不滅だ

長年解決しなかった満員電車の問題が、皮肉にも新型コロナウイルス騒動によって緩和された。でもそれは一時的なものにすぎなかった。コロナ騒動がひと段落し、企業がこぞって従来の出社スタイルに戻ったせいで、通勤ラッシュの満員電車も復活してしまった。

じつは満員電車の解決法は簡単だ。運賃を上げればいいのである。

市場の需要に応じて柔軟に価格を変える「ダイナミック・プライシング」という仕組みがある。鉄道会社がこの仕組みを導入し、ラッシュの時間帯の運賃を上げればいい。

すでに似たような取り組みが２０２１年の東京五輪の際に行われた。五輪期間中、首都高の料金を日中の時間帯は一律１０００円上乗せ、逆に深夜の時間帯は5割引にしたのである。それで交通渋滞が見事に激減した。

料金上乗せの対象は一般車のみ。事業用のトラックなどは対象外だった。想像するに、日中は普段の倍近い料金となることから、観光やレジャーなど急ぎの用事でない人は「1000円を上乗せして払う価値」を考えたのだろう。それで割に合わないと思った人は安い下道を選んだのである。

かたや1000円上乗せして利用した人からすると、いつもより高速道路が空いているため快適な移動ができた。1000円余分に払ったとしても満足度は高くなる。

このようなダイナミック・プライシングが交通機関に日ごろから導入されれば、それを支給する企業側の意識も変わるはずだ。社員に支払う交通費負担が増えるのだから、出社の適否、働き方を再検討するきっかけになる。リモートワークやフレックス制度の導入や強化、就業時間の見直しをする企業が続出するだろう。

たくさんの人たちが同時刻に一斉に出社する必要はそもそもない。オリンピック期間中と同じようなことを、通勤ラッシュ時の電車に適用する。ダイナミック・プライシングには、経済合理性を用いて混雑を解消させる力があるのだ。

東京都の小池百合子知事は、都知事選の際に「満員電車ゼロ」を公約として掲げていた。だが、その公約はまったく達成されていない。やる気配すらない。同時に、公約を守らない小池都知事に不満の声を上げる有権者もほとんどいない。でもそれはとうぜんなのだ。実行力、行動力のある人は政治を変えようとするのではなく、自分のライフスタイルを変えようとするからだ。リモートワークや地方移住をして、ストレスフルな満員電車に別れを告げるのである。

逆に**保守的な人は、不自由な従来のライフスタイルに拘泥《こうでい》する。そこに不満はあるものの、ぶつぶつ愚痴《ぐち》ることしかできない。変化を恐れるからだ。そして今日も明日も電車ですし詰めになる。**

政治家や鉄道会社にしてみればなにも言われないのだから、満員電車を解決する動機はなくなる。かくして電車はこれからも変わらず大盛況。人々の不満を乗せて日夜走り続けるのだ。

オフラインが最強という新常識

新型コロナウイルス騒動でZoomなどを使ったビデオ会議が一気に普及した。だれもが気軽にオンラインでコミュニケーションできる状況はひと昔前には考えられなかった。テクノロジーの進化の賜物《たまもの》である。いまですら高速の5G回線だが、2030年ごろには6Gのサービスが提供される予定だ。通信速度は5Gの10倍とされる。オンラインでのコミュニケーションはますます気軽に、そして快適になっていく。

ご多分《たぶん》に漏《も》れず、私もオンラインミーティングを最大限に活用している。海外を飛び回りながら多数のプロジェクトをこなしているが、そんな「多動力」を発揮できるのも、LINEやZoomがあってこそ。このコミュニケーション方法に満足している。

いや、正しくは〝満足していた〟。過去形だ。

オンラインのコミュニケーションにはひとつだけ弱点がある。たしかに業務連絡や取材など、必要なことを伝え、あるいは聞く場としては最適だ。でも、テーマや目的のないトークはしづらい。ようするに雑談には向かないのだ。

たかが雑談とあなどるなかれ。お互い高め合うことのできるメンバーがそろっていると、むしろ雑談から光るアイデアが生まれる。

あなたも飲み会や喫煙ルーム、ドライブ中のふとした会話がきっかけで、新しいアイデアがひらめいた経験があると思う。

オンラインの弱点。リアルの強み。個人的にそれを強く実感したのが、気のおけない仲間たちとのホームパーティーだった。

コロナ騒動も落ち着いたころのことだ。和牛やワイン、デザートなどを友人宅に持ち寄り、会はゆるーくはじまった。しだいに話は弾んでいく。エンタメやビジネス、多岐にわたる話題に大いに盛り上がり、だれかの何気ないひと言でアイデアがどんどん膨らんでいく。「人間にはこんな時間が必要なんだよな」と身に沁みたし、オンラインではこうしたコミュニケーションは難しいとあらためて気づかされた。

それからはSNSやニュースでおもしろい人を見つけたら積極的にアポイントを取り、直接会うようにしている。

一時はブームになった「Zoom飲み」が一瞬で廃《すた》れたのも納得だ。飲み会なんて雑談の最たるもの。でもオンラインと雑談との相性は良くない。

オンラインでコミュニケーションが気軽に取れるようになったからこそ、リアルなコミュニケーションの価値は相対的に上がっていく。サブスクやユーチューブで気軽に音楽が聴けるようになった結果、リアルに体感する音楽ライブの価値が上がっているようなものだ。

もちろんオンラインのコミュニケーションを否定しているわけではない。事務的なやりとりは利便性の高いオンラインを使い、それで浮いた時間をリアルな場にあてる。そのリアルを充実化させた人が付加価値を生み出せるのだ。これからそんなコミュニケーションのあり方、考え方が新常識となっていくだろう。

“マッチングアプリ婚”が王道になる

いま5人に1人が「マッチングアプリ」で出会い、結婚している。夫婦の出会いのきっかけとしていちばん多いのは依然「職場の同僚・先輩・後輩」だが、マッチングアプリはその定番に迫る勢いになっている。[※1] そしてこれはほんの序の口。これからマッチングアプリによる結婚が完全に主流になっていくだろう。

かつて出会いの場はきわめて限定されたものだった。ひと昔前のお見合いなんてその最たるものだ。親戚のおばさんや職場の上司が、結婚相手の候補を紹介してくれる。もっともそのおばさんや上司のネットワークはたかが知れている。紹介されても、理想の相手にめぐり合うのはまれだろう。でもほかにこれといって出会いの機会がないから、そこで決断するしかなかった。

※1　明治安田生命保険相互会社によるアンケート調査（2022年11月）

そういう時代からやがて恋愛結婚が増えていった。でも事情は大して変わらない。出会いの選択肢はやはり限られる。対象になるのは、自分と同年代の、そしてたまたま同じ職場やその周辺にいる人だ。

そんな狭いコミュニティで相性ぴったりの、まして一生を捧げるにふさわしい相手とめぐり合うのは宝くじに当たるようなものだ。

もちろんそこで運命の出会いを果たす人もいるだろう。でも選択肢は多いに越したことはない。失恋した友人にかける「男・女は星の数ほどいるんだから」という慰めのセリフ。それは半分ほんとうで、半分うそだ。狭いコミュニティにとどまるかぎり、星の数はいない。だから「この人とはどこか合わないな」と内心思っていてもつき合い続けたり、振られても未練がましくなったりするのだ。

でもマッチングアプリなら、コミュニティは一気に拡がる。ド田舎に暮らしていようがなんだろうが関係ない。そこには結婚相手を求める人がまさしく星の数いる。

『林先生の初耳学』（毎日放送）が行った調査結果が興味深い。[※2] 日本の直近5年間の離婚率は6・6％だが、マッチングアプリ経由で結婚した夫婦の離婚率は4・5％だと

※2　毎日放送「林先生の初耳学」（2020年8月16日）

いう。多彩な選択肢のなかから選《よ》りすぐりの相手と出会うのだから、離婚率が低いのも納得だ。

最近はニコニコ動画でおなじみのドワンゴが「Ncon（エヌコン）」というオタクに特化した結婚相談所サービスを展開している。そのほかにもＡＩ（人工知能）を活用したサービスなど、マッチングアプリのバリエーションは増加中だ。もはや自分の価値観に合う相手が見つからないほうがおかしい。あとはやる気だけだ。

〝マッチングアプリ婚〟の難点があるとすれば、いまだ消えない偏見だろう。特にシニア世代を中心に、出会い系アプリになにかいかがわしい印象を抱く人がいる。そのためマッチングアプリで出会った若者夫婦の結婚式では、２人の馴れ初《そ》めを「共通の趣味を通じて」などとはぐらかしているようだ。

でもそれも時間の問題にすぎない。**人生にはやるべきことがたくさんある。結婚したい人はさっさと結婚したいだろう。その願望に応える環境は整った。**間違いなくマッチングアプリ婚は加速していく。

夫婦の出会いのきっかけのうち、「マッチングアプリ」が占める割合

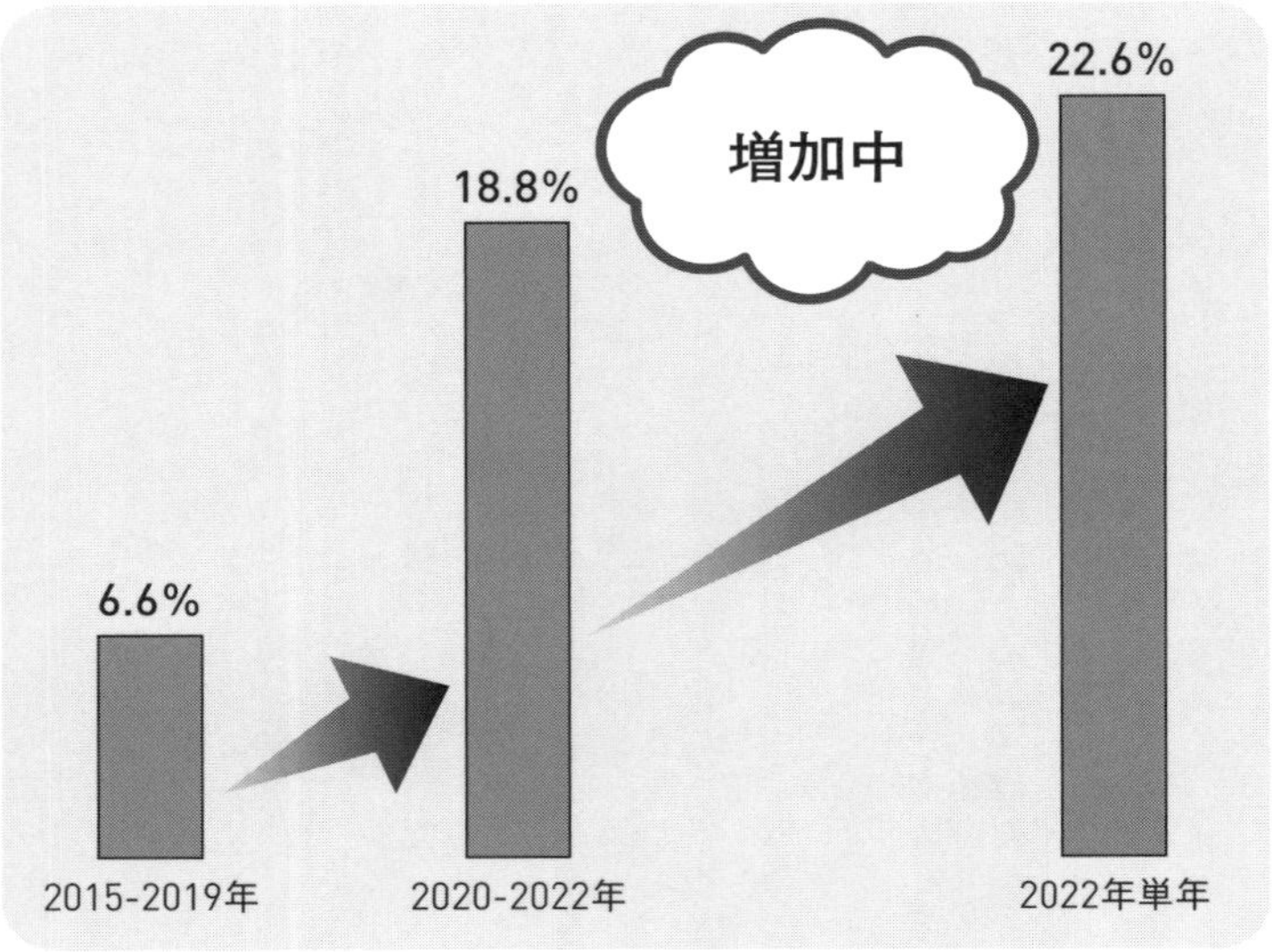

明治安田生命「いい夫婦の日」に関するアンケート調査（2022年11月）より

マッチングアプリが社会負担を減らす

マッチングアプリによる新しい出会いは、なにも若者たちの特権ではない。むしろ、これからの時代を考えるとシニア向けのマッチングアプリが流行《はや》るだろう。老いも若きもマッチングアプリ。それがあたりまえの光景になる。

老人ホームで一人のおじいさん、おばあさんをめぐり、入居者のあいだで激しい争奪戦が繰り広げられるなんて話はよく聞く。人は何歳になってもモテたいし、恋したいのだ。

一方、年を取るにつれ、人間関係は希薄になりがちだ。特に男性は定年になったとたん、交友範囲が一気に狭まる。ほとんどの人が仕事を通じた交友しか持ち合わせていないからだ。仕事を退くのと同時にその交友もほぼ途絶える。そして気の置けない学生時代の友人も一人また一人と寿命を迎えていく。

さびしい。でもいまさら新しい出会いを探すのは億劫《おっくう》だ――。

マッチングアプリがそうした事態をきれいに解消してくれる。

恋愛相手にも、気の合う仲間にもめぐり合える。近所の茶飲み友だちなんかいくらでもできるだろう。

いまのところシニア向けに特化したマッチングアプリは見つからないが、「らくらくスマートフォン」の登場によって年配のスマホ利用者が急増したように、より使いやすいアプリさえあればすぐに馴染《なじ》んでいくはずだ。

日本は高齢者人口が多い。ということは大きなマーケットになりうる。アプリサービスを提供する側も魅力的なのだ。じきにシニア特化型のマッチングアプリがリリースされるだろう。

シニア向けマッチングアプリは、高齢者が直面するさまざまな問題の解決に一役買ってくれる。

伴侶に先立たれると、孤独感にさいなまれる。気力が失せ、あとを追うように亡くなってしまう人もいる。そこに潤《うるお》いと張り合いをもたらすのは新しい出会いにほかならない。

またそれは認知症予防にもなる。だれとも話さず、家に引きこもっているとボケ一直線である。でも新鮮な話し相手がいれば、認知機能は良好に保たれるはずだ。

さらに運動不足も解消される。出歩く機会が増えるからだ。おのずと足腰は強くなり、フィットネスレベルが上がる。

恋愛は最強のアンチエイジングなのだ。キザな言い方をすると、人は恋をすると日常が輝き出す。泣いたり笑ったり嫉妬《しっと》したりと、感情は豊かになる。健康でいようとする。それは何歳であっても変わりない。

高齢者のＱＯＬ（生活の質）の向上は、超高齢社会にのしかかる医療費や介護費などの社会保障費の軽減にも直結する。

大げさではなく、シニア向けマッチングアプリが日本を救うのだ。国や行政が運営に取り組んでもいいくらいである。

高齢者に対する社会保障給付費は極限状態

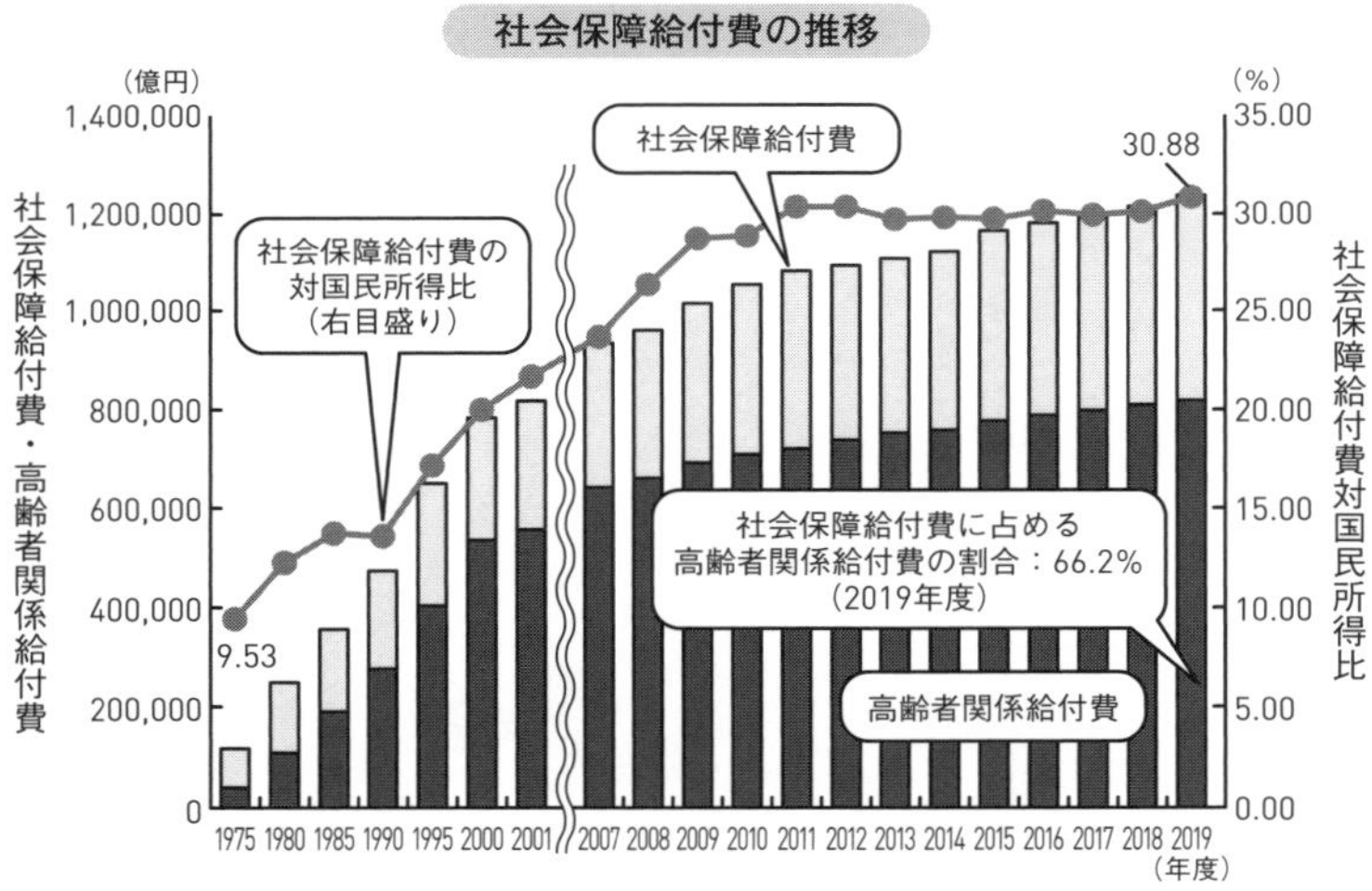

内閣府「高齢社会白書」（2022年版）より

老人の定義が変わる

日本の高齢者の定義は「65歳以上」とされる。さらに65歳以上74歳以下を前期高齢者、75歳以上を後期高齢者として定めている。でもこの線引きはもうナンセンスだろう。

現在の65歳はとても若い。あの明石家さんまさんは68歳だ（2023年現在）。どう見ても老人じゃない。さんまさんをそんな目で見ている人はいない。

さんまさんは芸能人だから例外？　そうじゃない。

あなたの身近な人を思い浮かべてほしい。あなたの祖父母と両親を、同じ年齢で比較してみてほしい。祖父母が65歳だったときと、両親が65歳のときとではぜんぜん違うと思う。両親のほうが若々しいはずだ。

いまや60代の訃報にはみんなが「若すぎる」と口をそろえるし、70代の訃報には「まだ若いのに残念」と惜しむ。

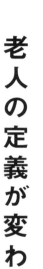

つまり日本人はだんだん〝若返っている〟わけだ。現在の65歳はひと昔前の55歳くらいのイメージである。

それは平均寿命にも表れている。１９８０年の平均寿命は男性が73・35歳、女性が78・76歳。これが２０２０年になると男性が81・56歳、女性が87・71歳と上昇している。40年前と比べて10歳近く寿命が延びている。※3

ほかにもデータはある。日本老年医学会が運動機能、認知機能、病気の発症率、死亡率などを比較したところ、現在の75歳以上は、昔（65歳以上を高齢者と定義づけた当時）の65歳以上に匹敵するほど若返っていることがわかった。この「若返り」について同学会は、国民の栄養状態の改善、公衆衛生の普及、医学の進歩などが要因だとしている。※4

ならば、**その実態にそくして高齢者の定義年齢を繰下げてみるとどうなるのか。すると日本の抱える社会問題に光明が差す。**

例えば年金制度だ。日本の年金制度は、現役世代が納めた保険料を高齢者に受け渡す「賦課《ふか》方式」を採用している。少子高齢化により、現役世代と高齢者のそのバラン

※3　厚生労働省「第23回 完全生命表」（2022年３月）
※4　日本老年学会・日本老年医学会「高齢者に関する定義検討ワーキンググループ」（2017年）

スは悪化の一途だ。

そこでかりに高齢者の定義を「75歳以上」と繰下げたとしよう。２０２１年時点で65～74歳の人口は１７５４万人、総人口に占める割合は14％だ。[※5]これだけのボリュームが「高齢者」でなく「現役世代」としてカウントされれば、年金問題はかなり改善される。

さらに高齢者の医療費削減にもつながる。私は「現役時代」が長くなると、健康寿命が延びると考えている。人間とは不思議なもので働いていると老けにくい。これはある産業医から聞いた話だが、65歳以上の人は社会的責任の有無によって寿命が７～８歳も違ってくるのだという。適度な張り合い、忙しさ、ストレス、責任感が健康に直結するのだ。

今後、老人の定義は変わるだろう。年金をはじめとする社会保障費のことを考えても変えざるをえない。そしてそれを私たちは歓迎すべきだ。繰り返すが、実際に私たちは若返っているのである。

※5　内閣府「高齢社会白書」（2022年版）

「老人」の年齢が繰り下がれば、社会保障負担が劇的に改善される

現在の日本の人口ピラミッド（2021年10月1日現在）

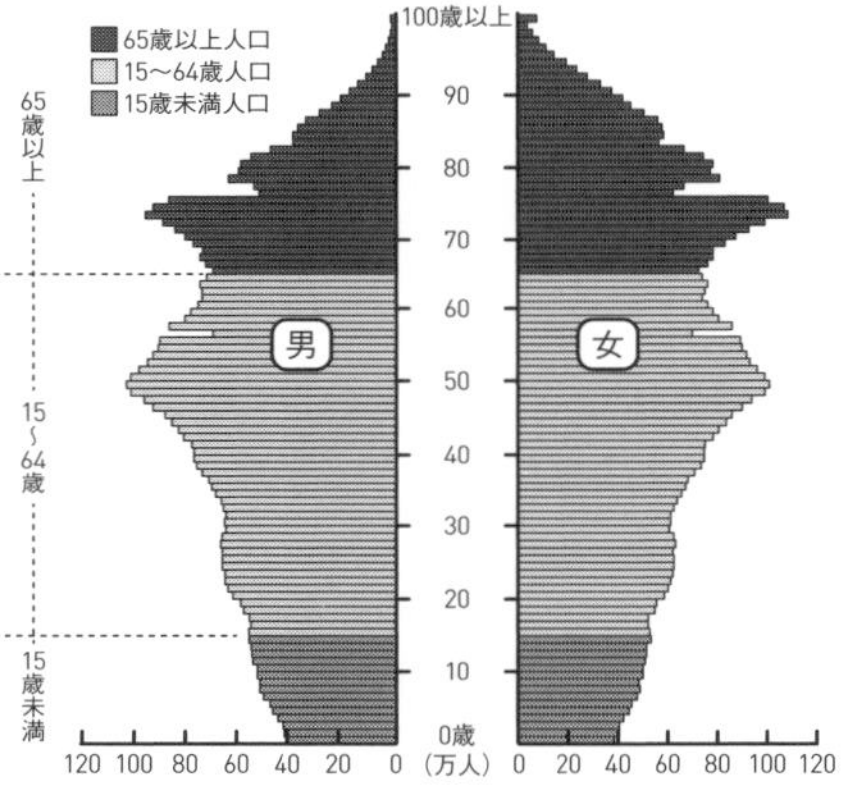

総務省統計局「人口推計」（2021年10月）より

「老人の定義」を65歳から75歳に繰下げた場合

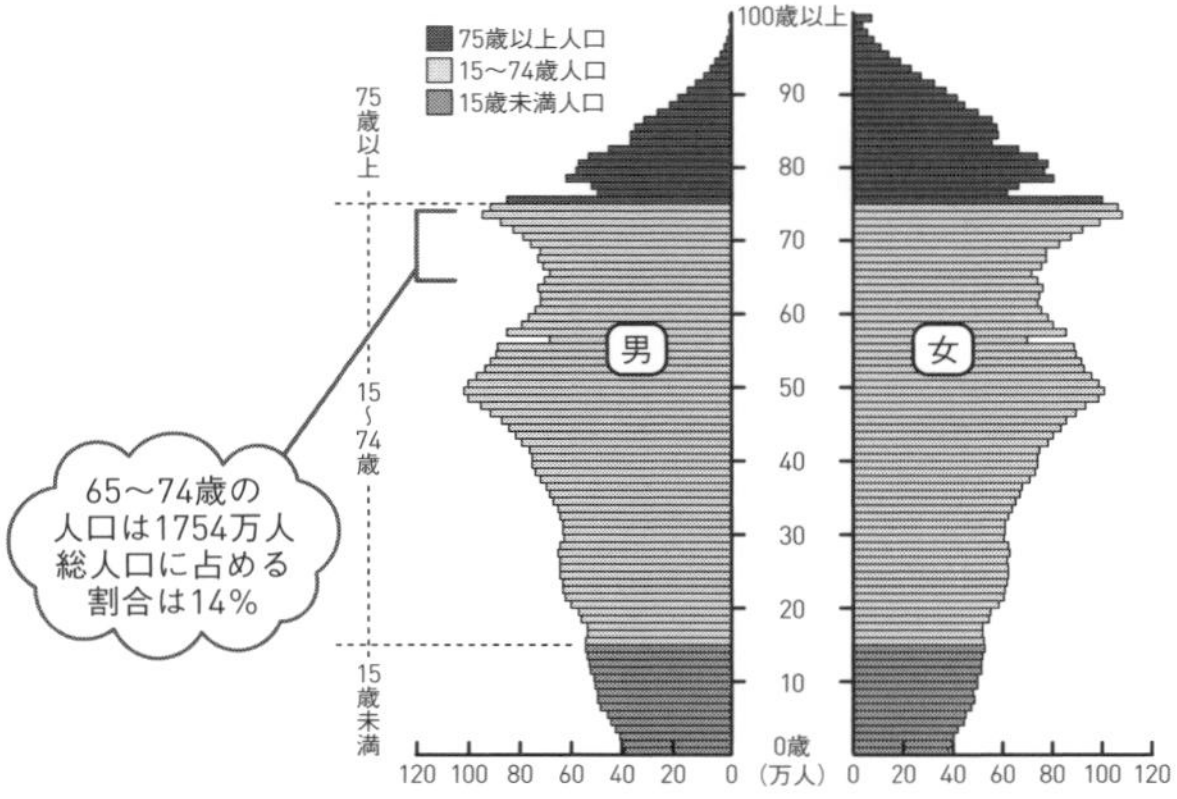

全国3万の橋が一気に崩れる

橋や道路などの公共インフラは「造って終わり」とはならない。耐用年数があるため、修理や舗装といったメンテナンスが必要だ。それを怠《おこた》れば老朽化が進み、最悪の場合には崩壊してしまう。

2012年、山梨県の中央道・笹子《ささご》トンネルで痛ましい事故が起きた。コンクリート製の天井板がおよそ140メートルにわたって崩落。3台の自動車が下敷きになり、9人の尊い命が失われた。崩落の原因は天井板を支えるボルトの強度不足だった。点検、維持管理のメンテナンス不足である。

残念ながらこうした悲劇はこれからの日本で急増していく。死亡事故とまではいかなくとも、崩壊や通行禁止があたりまえになる。もうそのカウントダウンははじまっている。

インフラの耐用年数の目安は50年。日本では高度成長期の1970年代に大量のインフラが新設された。そう、それがいま一斉に耐用年数に達しつつあるのだ。

実際に老朽化対策が必要にもかかわらず手がつけられていない橋の数は、全国で3万2000箇所にもおよぶ。いつ崩落してもおかしくない橋が全国にそれだけあるということだ。[※6]

「行政はなにをしているんだ」「国は、国民の生活が一番ではないのか」もっともだ。そう言いたい気持ちはわかる。

しかしインフラの老朽化対策には莫大な予算がいる。国土交通省によれば、今後30年(2018~2048年度)で必要なメンテナンス費用は推計約190兆円。[※7]日本全土の橋や道路を整備するにはそれだけかかるのだが、いまの日本にそんな余裕はない。ただでさえ人口減少にともなう税収の縮小、さらに少子高齢化による社会保障費の圧迫にあえいでいるのだ。

地方の過疎化の歯止めも利かない。利用者が少ないものや、メンテナンスの費用対効果が低いものは放置せざるをえない。事故で惨事を招くわけにはいかないため、それらは次々と通行止めになっていく。そして朽ちていく運命を待つのだ。

※6　NHK NEWS WEB「“直せない橋”日本一　新潟県でなぜ？ 調べてみると」(2022年12月23日)
※7　国土交通省「国土交通省所管分野における社会資本の将来の維持管理・更新費の推計」(2018年11月)

２０２１年、山形県遊佐町にある長さ１２５メートルの栄橋《さかえばし》が崩落した。ニュースでも報じられたから知っている人もいるかもしれない。栄橋はその10年前に老朽化が理由で通行止めになっていた。崩落は必然だった。今後、同じような事態が全国で多発するだろう。

「自分が住んでいる地域は大丈夫か」「田舎に住む親の生活が心配」そんな人はできるだけ早く近くの都市部に引っ越したほうがいい。事故が起きてからでは遅い。

さらに言えば、老朽化したインフラを放置するような自治体は財政がかなり厳しいはずだ。公共事業や子育て支援の予算もままならない。交通の便も悪いだろうし、商業施設も少ないだろう。生活そのものがしづらいはずだ。

生まれ育った町や長年暮らした家を離れるのはつらいことかもしれないが、都市部にはいまより安全で便利な生活が待っている。人は何歳からでも新しい生活に慣れるものだ。「住めば都」である。

補修が未実施の橋の数

	都道府県	未実施数	未実施率（%）
1	新潟県	3168	78
2	北海道	2458	55
3	長野県	1747	54
4	広島県	1455	61
5	福島県	1443	60
6	山口県	1364	67
7	岡山県	1221	57
8	静岡県	921	44
9	秋田県	869	66
10	福岡県	776	49
11	富山県	726	49
12	兵庫県	717	39
13	岐阜県	709	51
14	徳島県	709	51
15	大分県	683	48
16	鳥取県	675	56
17	愛媛県	664	50
18	群馬県	644	54
19	宮城県	637	51
20	奈良県	623	66
21	高知県	607	40
22	熊本県	578	47
23	岩手県	573	44
24	鹿児島県	562	55

	都道府県	未実施数	未実施率（%）
25	千葉県	553	51
26	山形県	536	51
27	埼玉県	504	49
28	島根県	503	49
29	茨城県	498	53
30	京都府	475	63
31	愛知県	462	34
32	和歌山県	441	47
33	福井県	368	51
34	神奈川県	362	44
35	青森県	350	49
36	大阪府	340	51
37	三重県	301	33
38	石川県	292	48
39	栃木県	287	46
40	佐賀県	256	39
41	滋賀県	248	48
42	香川県	229	49
43	東京都	205	41
44	長崎県	203	39
45	山梨県	174	38
46	沖縄県	137	51
47	宮崎県	67	19

「全国道路施設点検データベース」（国土交通省）をもとにNHKが作成

NHKのHPより
https://www3.nhk.or.jp/news/html/20221223/k10013932201000.html

〝教師ガチャ〟の不幸はなくなる

「教師不足」が叫ばれて久しい。現在、全国の小中高あわせて2800人の教師が不足している。[※8]都内の公立小学校では教師の欠員が相次いだため、ハローワークに求人を出したという驚きのニュースもあった。[※9]

いまどき教師になるというのは、そうとう高いモチベーションの持ち主だ。時間外労働、休日労働はあたりまえ。安月給で残業代などの手当は無いも同然。そして教師という職業柄、聖人君子でなければいけない。そうしたハードルを「意欲」や「志」で乗り越えろ、と言われても無理な相談だ。教師不足は起こるべくして起きている。

でも解決策はある。「ビデオ授業」の導入だ。教師は教室で生徒と向き合って授業するのではなく、モニターやタブレット越しに授業を届ける。

このビデオ授業のメリットは計り知れない。なにより教師の過重労働がなくなる。

※8　NHK NEWS WEB「残業月90時間　学校がもう回らない…　教員不足全国2800人の現実」(2022年8月2日)

※9　読売新聞「都内公立小の教員不足が拡大、夏休み明け130人欠員…ハローワークに求人出す区教委も」(2022年11月22日)

リアルタイムでその都度、授業を行う必要はない。いちど動画収録してしまえば、同じ授業内容を何度も繰り返すようなまねはしなくていい。授業にかける時間、授業の準備にかける時間、それが大幅にカットできる。教師の勤務時間を短縮できるのだ。

生徒にとってもメリットは大きい。いちばんのメリットはつまらない教師を回避できることだろう。授業のへたな教師にあたってしまうと、その科目そのものが退屈でつまらないものになってしまう。勉強ができないのは生徒のせいではない。知的好奇心を削いでしまう教師のせいだ。

ここ最近、社会人のあいだで教養ブーム、学びなおしブームが起きている。それを牽引しているのは一流クリエイターがつくる良質なコンテンツだ。良質なコンテンツに触れ、知的好奇心が刺激されれば、人はおのずと学習意欲が湧いてくる。

例えば、教養系ユーチューバーとして活躍しているオリエンタルラジオの中田敦彦さん。彼のユーチューブチャンネルの登録者数は500万人を超える。たくさんの視聴者が中田さんの巧みなトークで楽しみながら学びを得ている。

教える側、教師の質というものは、教育において決定的に重要なのだ。〝教師ガチャ〟に失敗した生徒は不幸でしかない。だからこそビデオ授業だ。ビデオ授業なら、教え方の抜群にうまい先生が全国の学生に平等に授業を届けられる。「今でしょ！」でお馴染《なじ》みの東進衛星予備校の林修先生のような存在はもってこいだろう。彼よりもうまい国語教師がほかにどれだけいるだろうか。

文部科学省は、全国どこでも一定水準の教育を受けられるようにするために「学習指導要領」を定めている。※10 このビデオ授業こそまさに一定水準を可能にする。

ビデオ授業は、教師不足という概念そのものをなくす。教師の絶対数が少なくてすむからだ。ならば、いま現職の教師の大半はどうなるかといえば、彼らにも極めて重要な役目がある。それは勉強につまずいた生徒のサポートだ。そうした生徒に直接、面と向かって個人指導を施す。細かい繊細なフォローは現場でしかできない。

いくらあがいても現状の教師不足は解消できない。一部で教員試験のハードルを下げようとする動きもあるが論外だ。教育の質が落ちるだけだ。教育機関はとかく保守的だが、ビデオ授業を積極的に導入すべきだし、導入せざるを得ないだろう。もう現場は機能していない。まずは過疎地や離島の生徒に対し導入されていくだろう。

※10　文部科学省「『学習指導要領』とは？」

〝インフルエンサー議員〟の恐るべき潜在能力

「タレント議員」と呼ばれる政治家がいる。彼らは知名度や好感度をフル活用し、選挙戦を有利に進めて当選を果たす。いままでは芸能人やキャスターやスポーツ選手が多かったが、今後、ネットの人気者がその座につくだろう。

そんな潮目の変化を感じたのは、あのガーシー前議員の当選である。2022年に行われた参議院選挙で、NHK党（名称は当時）が比例で一議席を確保。同党候補者のうちもっとも得票が多かったガーシー氏が当選を果たした。さらにNHK党はガーシー人気によって、政党要件である得票率2％まで達成してしまった。

NHK党の立花孝志党首の売り出し方もうまかった。ガーシー氏のユーチューバーとしての注目度が最高潮のタイミングで出馬を打診。「ガーシー現象」と呼ばれるまでの話題をつくった。この現象を単なるガーシー人気で片づけてはいけない。ネットの人気者が強烈な集票能力を持つことが証明されたのだ。

ユーチューバーやインフルエンサーは選挙戦においてめちゃくちゃ有利だ。

第一に、ファンがたくさんいる。それはただのファンではない。チャンネル登録やアカウントのフォローなどひと手間加わっているぶん、より濃密なファンとなる。

第二に、浮動票を集められる。

選挙運動ができるのは「公示・告示日から投票日前日まで」と決まっている。街頭演説や選挙カーを使った活動は、投票日前日の20時までだ。またインターネットで選挙関連の情報を発信できるのも前日23時59分まで。厳密にそう定められている。

こうした制約がじつはユーチューバー、インフルエンサー候補者に有利に働く。「投票日当日」にユーチューブやツイッター、インスタグラムで投票を呼びかける投稿はできない。でも「投票日前日」まではできる。そして投票日当日にそれを削除する必要はない。ならば、とうぜん投票日当日にその投稿を目にする有権者もいる。もし前日23時59分に投稿したのならば、むしろ当日朝にそれを目にする有権者のほうが多いかもしれない。そうなるとだんぜん有利だ。投票先に迷っている浮動票層の人たちが少なからず興味を示すからだ。

もちろん、どの候補者も前日ぎりぎりまでSNSに選挙情報を投稿できる。でもフォロワーがいなければ目に触れることはない。だれも見ない投稿は無力だ。

「選挙は祭り」と喩《たと》えられることもある。地元の祭りを盛り上げるため、町内会や自治会のメンバーが汗水たらして尽力する。選挙も一緒だ。候補者を当選させようと支持者や後援会が駆けまわる。

ユーチューバーやインフルエンサーは〝祭り〟の達人だ。自身の話題が急上昇ランキングやトレンドに表示されるようにファンを焚きつける。ファンも自分の推しのためにシェアやリツイートの輪を拡げる。それと同じことが選挙戦でも起きる。担ぐのが神輿《みこし》なのか、候補者なのかの違いにすぎない。

ユーチューバーやインフルエンサーがそんな簡単に当選できるのか？　そう思う人がそれでもいるかもしれない。でもいまや彼らは小中高生たちのカリスマだ。**小学生の「なりたい職業ランキング」のトップにユーチューバーが来る時代である。そんなキッズたちが、数年後には18歳になって選挙権を持つ。**

ネットの人気者が続々と政界進出していくのは時間の問題だ。

ネット選挙運動は投票日前日ぎりぎり（23時59分）まで可能

ネット選挙運動でやっていいこと・ダメなこと

	投票日前日まで	投票日当日
WEBサイト・ブログ更新	○	×
掲示板等への書き込み	○	×
SNS更新	○	×
動画の投稿	○	×
LINE等のチャットアプリ	○	×
投稿のシェア・RT	○	×

ユーチューバーは将来の有権者の心をつかんでいる

小学生がなりたい職業ランキング2022

1位	ユーチューバー	（1374票）
2位	漫画家・イラストレーター アニメーター	（1167票）
3位	芸能人	（924票）
4位	ゲームクリエイター プログラマー	（667票）
5位	パティシエ パティシエール	（607票）
6位	学校の先生	（530票）
7位	保育士・幼稚園の先生	（444票）
8位	作家・小説家・ライター	（375票）
9位	医師	（364票）
10位	動物園や水族館の飼育員	（314票）

進研ゼミ小学講座「2022年の出来事や将来に関する小学生の意識調査」（2022年12月）より

昆虫食に未来はない

ここ最近、「昆虫食」が注目されている。

現在、世界の総人口は78億人。2060年になるとそれが100億人を超える。その急激な人口増加で懸念されているのが食料不足だ。特にタンパク源。そこで良質なタンパク質をふくむ昆虫、なかでもコオロギに白羽の矢が立っている。食料不足の救世主として期待されているわけだ。

少し前に、徳島県の高校でコオロギの粉末を使った給食が試験的に提供された。それがニュースとなり、昆虫食の是非をめぐり賛否両論あったのを覚えている人も多いと思う。でも話題になるのはいまだけだ。昆虫食が根付くことはない。

食用コオロギが救世主あつかいされる理由は、牛や豚などの他のタンパク源に比べて飼料（餌、水）が少量ですむからだ。それでいてタンパク質含有量は、牛の約3倍。

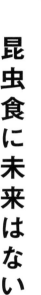

だから画期的な食材としてコオロギが注目されている。

だが、コオロギは大量飼育に向かない。狭いケージの中で大量飼育しようとすると、共食いや生育不良が起きやすい。ということはある程度の面積を確保する必要がある。つまり効率的な飼育が難しいのだ。

鶏肉として食卓にのぼるブロイラー。たしかに生体の単位体積あたりのタンパク質含有量はコオロギに劣る。しかし飼育面積あたりのタンパク質量で換算するとコオロギを上回る。つまり**タンパク源としての生産効率はブロイラーのほうが優秀なのだ。**

あえて人間がむしゃむしゃと昆虫を貪《むさぼ》るような、そんなグロテスクなまねをする必要はない。

食料不足問題はいまある食材でじゅうぶん対処できる。

魚介類や豆類も高タンパクだ。テクノロジーを駆使してこれらの生産効率を上げればいい。遺伝子組み換え技術がある。いまより少量の飼料や肥料で育てられるはずだ。育成期間も短縮できるだろうし、なんならタンパク質の含有量も増やせるだろう。

遺伝子組み換え以外にも手はある。養殖場、農場の規模を拡大するのだ。都市部以外なら土地はいくらでもある。人手不足というならＡＩ（人工知能）やロボットの力を借りればいい。

人工培養肉もある。人工培養肉とは、牛、豚、鶏の細胞を体外で組織培養した肉のことだ。世界中で研究・開発がなされ、いまやハンバーガーのパテ1つあたり1400円ほどで作れるまでになった。[※11]今後さらにコストは下がる。

もちろん培養肉に飼料はいらない。従来の畜産のように温暖化ガスの排出もない。つまり環境負荷とも無縁である。アメリカの培養肉企業アップサイド・フーズは早ければ2023年中にも、培養肉を飲食店に出荷する計画だ。[※12]

食料不足問題はテクノロジーの進化ですべて克服できる。個人的には、日本人にお馴染《なじ》みの「おから」にも注目している。おからは豆腐をつくる際のいわば残りかすだ。タンパク質が豊富な食材にもかかわらず、国内で年70万トンも廃棄されている。[※13]じつにもったいない。再利用の方法はいくらでもあるはずだ。コオロギにかまうひまがあるなら、そうしたフードロスに目を向けるべきだ。

いずれにしろ、昆虫食などという偽物《にせもの》の救世主に出る幕はない。

※11　東洋経済オンライン「ヤバすぎる！『培養肉ハンバーグ』の衝撃」（2014年12月27日）
※12　ロイター通信「培養肉が食卓に並ぶのはいつか、障害となる『忌避感』」（2023年1月29日）
※13　東洋経済オンライン「年70万トン！ 廃棄物扱い『おから』の悩ましい実態」（2022年9月30日）

魚介類はどれも贅沢品になる

秋の味覚であるサンマ。安い、旨《うま》い、高栄養、かつては三拍子そろった庶民の味方だった。でもいまや贅沢品だ。サンマの平均単価はこの10年で3・6倍と高騰《こうとう》している。※14

値段高騰の原因は、漁獲量の減少。地球温暖化にともなう海水温の変化で不漁におちいっているのだ。

かつて日本一のサンマ水揚げ量を誇っていた千葉県の銚子《ちょうし》漁港。しかし2022年のサンマの水揚げはなんとゼロになった。※15　その一方で、北海道のオホーツク海沿岸に大量のサンマが押し寄せている。※16

日本は以前のような漁業ができなくなっている。なにもサンマにかぎった話ではない。日本特有の魚食文化を維持していくのはもはや難しいのだ。

※14　水産庁「水産白書」(2020年版)
※15　千葉日報「銚子サンマ水揚げゼロ　1950年以降では初の事態」(2022年12月24日)
※16　北海道新聞「港でサンマ　珍しい！　網走　入れ食い状態、釣り人絶えず」(2022年11月14日)

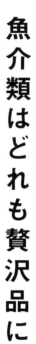

海水温が低いほうが脂ののった旨い魚が獲れやすい。

北海道のサケやホッケ、北陸のブリ、それらと沖縄の名物グルクン（タカサゴ）を比べればわかりやすいだろう。北海道のサケは濃厚な旨味があるが、グルクンはよほどの上物でもないかぎり淡白で味気ない。

海水温の上昇は魚食において深刻な事態だ。北海道のサケは、ロシアのカムチャツカ地方に移動しつつある。国内で獲れにくくなっているのだ。

日本は漁猟の楽園だった。島国であり、気候も海流も申し分なし。すばらしい漁場がたくさんあった。その楽園が危うい。北海道や東北の旨い魚は北上を続け、やがて国外の海域に出ようとしている。

ならばロシアなどから買い戻す、つまり輸入するしかなくなる。でも日本は円安だ。そしてこの円安はしばらく続くだろう。今後、旨い魚はどんどん値上がりする運命にある。

日本近海では淡白な魚しか獲れなくなるかもしれない。**本州でグルクンのような魚が水揚げされ、〝庶民の味方〟としてスーパーに安価で並ぶのだ。**

日本近海の海面水温は1.24℃上昇している

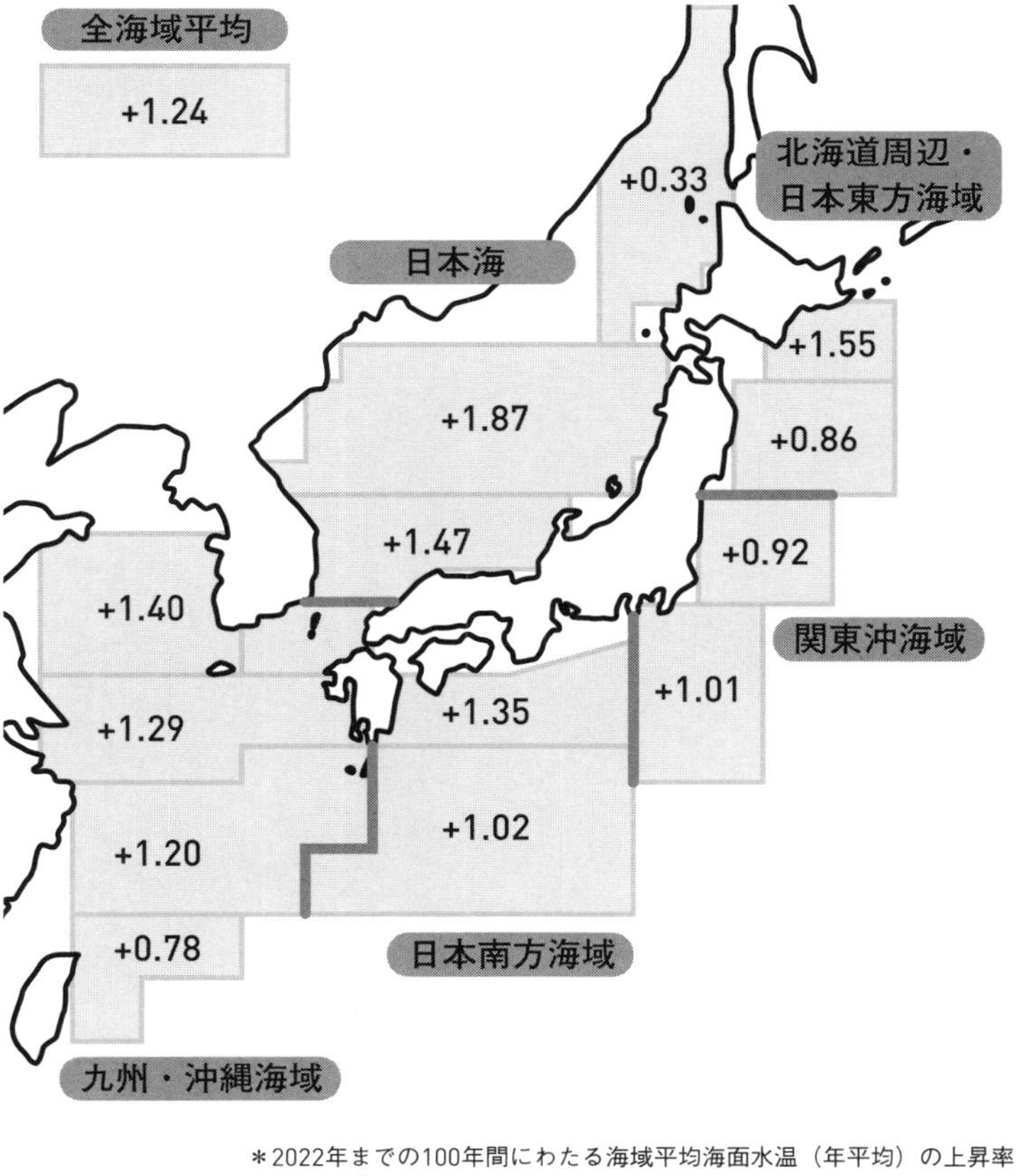

＊2022年までの100年間にわたる海域平均海面水温（年平均）の上昇率
気象庁「海面水温の長期変化傾向（日本近海）」（2023年3月）より

高級魚は海外に流れる

日本でいちばん旨《うま》い魚介類が食べられる場所はどこか。北海道？　それとも北陸？　違う。東京である。

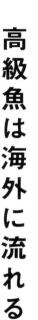

東京には富裕層が暮らしているし、高級飲食店も集まっている。消費量も地方とは比較にならない。だから漁師や漁協は高値がつきそうな魚介類を地元に卸《おろ》すのではなく、東京・豊洲市場に出荷する。高値がつきそうということは、交渉次第で利幅も膨らむ。豊洲で取り引きしたほうが儲かるのだ。実際、大間のマグロも、氷見《ひみ》の寒ブリも、山陰の松葉ガニも、その多くは東京で消費されている。

豊洲がそうであるように、いいものはもっとも高く売れる市場に出回る。ビジネスだからあたりまえだ。これまで日本という〝市場〟は、諸外国に比べて高値を支払ってくれる魅力的なマーケットだった。少しでも高く売りたい漁師たちが豊洲に出荷するように、海外の生産者たちは日本にどんどん輸出してくれていた。でもいま日本経済は低迷している。購買力が落ち込んでいる。かたや周辺国の経済発展は目覚ましい。ならばそっちに流れてもおかしくないわけだ。

例えばノルウェー産のサーモン。脂がたっぷりとのり、日本で大人気の食材だ。いまのところ十分な量を確保できているが、今後はあやしい。ノルウェー産サーモンのおいしさに気づいた中国や東南アジアの人々が、日本より高値で買い付けるようになる可能性は高い。そうなると日本の取りぶんはなくなる。

そうした輸入面の危機だけではない。輸出面の危機もある。日本産の貴重な高級魚介類が国外に流れていくかもしれない。日本人は長い不景気にさらされ、そこに折からの金融危機が降りかかり、デフレマインドがすっかり染みついてしまった。そのせいでだれもが安さを追い求めている。

とすれば**国内の漁師が豊洲を見切る日が来てもおかしくない。むしろ国外に出荷する流れが加速するほうが自然である。**札束の殴り合いとなれば、日本に勝ち目はないのだ。

寄生虫が和食を脅かす

日本人の魚食文化が変わってしまう要因は温暖化、あるいは国際競争の敗北だけではない。今後、**アニサキスによる被害も無視できなくなる。**

アニサキスとは、おもにサンマやサバ、イカなどに寄生する、体長2～3センチの寄生虫のこと。生きている状態のアニサキスが人体に侵入すると、胃や腸の壁に食いつき、激痛を引き起こす。いわゆる「アニサキス症」と呼ばれる症状だ。

近年、アニサキスが海で大量に発生している。その原因の1つが、クジラの保護だ。寄生虫であるアニサキスは、食物連鎖によって宿主を替えていく。オキアミなどのプランクトンからサンマやサバなどの魚介類へ、そしてクジラなどの大型哺乳類という順番で寄生していく。

世界的にクジラを保護する声が高まったことで、海の食物連鎖の上位にいるクジラの頭数が増えた。そして、アニサキスの最終宿主であるクジラのフンから大量のアニサキスの卵が放出される。結果、アニサキスが寄生する魚介類が増え、マグロなどこれまでになかった魚にまで感染が拡がっている。

アニサキスは60℃以上で1分以上加熱するか、マイナス20℃以下で24時間以上冷凍すれば死滅する。生で食べる際には、注意深く取り除いたり、包丁を細かく入れたりしてアニサキスを殺す。そうすればアニサキス症は防げる。

最近では画期的な予防装置も開発された。魚の切り身に瞬間的に電気を流し、アニサキスを殺すというものだ。[※17] 加熱する必要がなく、魚の鮮度を損なうこともない。

しかしである。これで「めでたし」とはならない。アニサキスによる健康被害はアニサキス症だけではない。もっと厄介《やっかい》なのが「アニサキスアレルギー」だ。アニサキスアレルギーは、魚に寄生したアニサキスを死滅させれば防げるわけではない。アニサキスの死骸を口にすることで、アレルギー反応が出てしまうのだ。

先述のとおりアニサキスはいまさらに多様な魚に寄生するようになった。そしてアニサキスを死滅させるのは比較的容易だが、その死骸まで除去するのは難しい。つまりアニサキスアレルギーのリスクが高まっている。

※17 佐賀新聞「瞬間電力でアニサキス駆除 熊本大チーム、食品産業で活用目指す」（2022年6月26日）

このアニサキスアレルギー、軽度なら自覚症状はほぼない。だが免疫反応が強くなれば、かゆみや蕁麻疹《じんましん》だけでなく、アナフィラキシーショックなど深刻な事態を引き起こしてしまう。

よりアレルギーが悪化するとカツオ節すら危険だ。つまり味噌汁《みそしる》や蕎麦《そば》つゆまで口にできなくなる。

じつは私もアニサキスアレルギー予備軍の一人だ。だから寿司屋に行く頻度を減らしている。私の場合、たまたま検査してわかったからいいものの、知らず知らずアニサキスアレルギーを発症している人も少なくないはずだ。アニサキスは現代人の脅威なのだ。

気づかずにアニサキスを口にしているうちにアレルギー反応は上がっていく。魚の生食どころか、日本の食文化そのものが危うくなりかねない。

日本のフルーツの圧倒的ポテンシャル

日本の高級フルーツが世界を席巻《せっけん》する。そんな未来がもうすぐやって来る。

日本にいると気づきにくいが、日本のフルーツのクオリティは世界でもトップレベルだ。海外では、高級ホテルであってもいまいちのフルーツが提供されることも多い。その点、特に「あまおう」や「シャインマスカット」は、海外の富裕層をうならせるほどクオリティが高い。そうしたブランドフルーツでなくても、海外で販売すれば飛ぶように売れる品質のフルーツが、日本のスーパーには普通に並んでいる。

野菜と果実の輸出額は順調に増えている。2020年にはあわせて過去最高の453億円に達した。[※18] でも日本のフルーツが持つポテンシャルからすれば、この金額はまだまだ物足りない。

日本人はマーケティングが下手くそだ。フルーツにかぎらず「良いものをつくれば

※18　農林水産省「野菜・果実等の輸出額の推移」（2021年6月）

勝手に売れる」とのんきに思い込んでいる。そのあいだに海外勢にシェアを取られてしまうのだ。

でも日本人から発信しなくても、日本を訪れた外国人が気づいてくれるようになった。例えば、2021年の東京五輪で来日したソフトボールのアメリカ代表監督が「福島の桃はデリシャス」と言って6個も平らげたという話題があった。

昨今のインバウンド需要の爆発も、日本産フルーツを知ってもらう契機になっている。

これまで日本のフルーツの種や苗木が不正に海外に持ち出される事態が頻発していた。しかし2021年に改正種苗法が施行され、刑事罰が科されるようにもなった。

さらに流通網や貯蔵設備が発達した。販路が整い、日本産フルーツが世界中の高級スーパーにずらりと並ぶ日は近い。

イチゴやマスカットだけでなく、マンゴーや梨も売れるだろう。さらに苗木も大売れするはずだ。

日本のことをよく知らない外国人でも「TOYOTA」や「SONY」の名は知っている。それと同じで「AMAOU」や「TOCHIOTOME」といったフルーツのブランド名も世界に浸透していく。

となると、日本国内ではこれまでのように、あまおうやシャインマスカットなどの高級フルーツは食べられなくなるかもしれない。農家にとっては国外に出荷したほうが儲かるのだから仕方ない。

でも規格外のフルーツなら日本に残る。それはリーズナブルな値段で売られるだろう。**そもそも私たち日本人はブランド品種にこだわらなくてもいいのではないか。普通のフルーツであっても国内産の品質はとてつもなく高い。**

ミカンもスイカもなにもかも旬の時季は絶品だ。日本人はそういったものを食べればいい。それでも十分すぎるくらい恵まれている。

Chapter

4

産業

スケールするもの、
縮小するもの。
その明暗を読み解け

スタートアップに人が流れる

日本再生の鍵をにぎるのはスタートアップ企業だ。新しいテクノロジーやアイデアを武器に、起業から短期間で爆発的な成長を目指す。それがスタートアップ企業の定義だ。スタートアップの特徴は、競合を一気に振り切るために初期に多額の資金を投入すること。そのリスクを取れる企業こそが、経済界、産業界に強烈なインパクトをもたらす。

アメリカが誇るＧＡＦＡ（Google・Apple・Facebook・Amazon）はまさにその典型だ。いずれも圧倒的スピードで世界有数のビッグテックに登りつめた。

日本にもそうしたスタートアップが不可欠だ。日本を変え、世界とわたり合える企業。日本の復興＝スタートアップの増加、なのだ。

どん底の日本経済だが、私には光明が見える。未来のトヨタ、ソニー、ファーストリテイリング（ユニクロ）になりえる企業がこの10年で次々に生まれてくるだろう。実際、いま国内でスタートアップ企業が増えている。そこに「金と人」が集まりはじめているのだ。

政府は2022年度補正予算で、スタートアップの創出と育成に向けて1兆円規模の予算を計上した。まだまだ物足りないものの、本気度はうかがえる。

さらにベンチャーキャピタルによる出資も増加中だ。国内のスタートアップ資金調達額は2022年、8774億円と過去最高を記録した。[※1] 海外のスタートアップが下火になっているのを横目に、日本の資金規模は上昇曲線を描いている。

スタートアップに就職する人も増えている。資金状況の良化に加え、労働環境の改善がその大きな要因だろう。かつてスタートアップといえば、ワークライフバランスを無視した過酷な労働があたりまえだった。そうなるととうぜん優秀な人材も逃げていく。日本はただでさえ人手不足なのだ。そこでスタートアップの経営者たちは労働環境の整備にいそしむようになった。それが報われつつある。

また「スタートアップに入社すると、大手に転職しづらくなる」というイメージもこれまで根強かった。将来的なキャリアステップの選択肢が限られるのであれば、特

※1　INITIAL「国内スタートアップ資金調達動向2022」

に若者にとっては魅力的な場ではない。

でもそうしたネガティブなイメージはほぼ払拭された。大企業がスタートアップ経験者を積極的に採用しはじめたからだ。大企業の大半は新規事業を立ち上げたがっている。しかしそれを任せるのにふさわしい人材が社内にはなかなかいない。大企業ゆえ、従来の事業にとらわれ、イノベーティブな人材が育ちにくいためである。そこでいま外部のスタートアップ経験者の獲得に力を入れている。

つまり**スタートアップ経験者の人材価値が急騰《きゅうとう》しているのだ。いまやスタートアップで実績さえ残せば、その後のキャリアは順風満帆《じゅんぷうまんぱん》だろう。**

現代は「不確実性の時代」とも言われる。ビジネスを取り巻く環境は日々変化する。そうした状況に対応できるのはフットワークの軽いスタートアップだけだ。

機は熟しつつある。最初からグローバル展開を目指すスタートアップも増えるに違いない。テックのみならず、飲食、観光、エンタメ、ロケット関連、まずこのあたりの領域でイノベーションが起きる。

日本の産業は三極化する

都心にオフィスを構え、カリスマ性のある社長が意識の高い社員たちを率いる――そんなスタートアップ企業はだれの目にも魅力的に映る。事実、今後の日本の経済、産業を牽引するのはスタートアップだ。

スタートアップにとってその目標地点はイグジットである。短期で企業価値を高め、株式売却で利益を得る。だからつねに数字の結果を求められる。そうしたプレッシャーを楽しめればいいが、みんながみんなそうはいかない。

これからスタートアップのようなイノベーティブな起業が増える一方で、「ミクロな起業」もまた増えていくだろう。

世の中には、そもそも組織人として働くのが不得手な人がいる。社内社外の対人関係が億劫《おっくう》。ストレスやプレッシャーに弱い。早起きが苦手。そんなタイプは組織に向かない。スタートアップだろうがなんだろうが、企業勤めは苦痛でしかないはずだ。**ネット環境がほぼ浸透したいま、そういう人たちは自分らしい、ミクロな起業を果たしていく。**そのわかりやすい事例の1つが「せどり」ビジネスだ。

せどりとは、ある商品を安い仕入れ先から入手し、それをべつの場所で高く売る物販ビジネスのことだ。いわゆる「転売ヤー」とは違う。転売ヤーは特定の商品を買い占め、消費者の飢餓感をあおったうえで不当な高値で売りつける悪質な行為だ。せどりはそうではない。立派な商売だ。例えば、海外のECサイトでレアな商品を探し当て、購入希望者に届ける。そんな目利きバイヤーの役割も果たす。

せどりビジネスは自分の趣味嗜好《しこう》が武器になる。アニメに詳しい、ファッションに詳しい、雑貨に詳しい、家電に詳しい。そうした得意ジャンルの知識を生かし、他と差別化をはかるのだ。

そしてなにより、せどりビジネスのいちばんの利点は先行投資がほとんどいらないこと。オフィスは不要。自宅でできる。例えば「Alibaba（アリババ）」「eBay（イーベイ）」などの海外ECサイトで買い付け、国内サイトの「メルカリ」「BASE（ベイス）」で売る。つまり商品の仕入れも発送もオンラインシステムで完結するのだ。

やがて事業が軌道に乗れば、ランディングページなどにコストをかけ、規模拡大を図ればいい。

こうした、せどりをはじめとするミクロな起業はほとんどスケールすることはないだろう。でも自分の趣味嗜好、興味関心に極めて近い領域でビジネスができる。組織のしがらみとも無縁だ。始業時刻、就業時刻も自分でコントロールできる。

現在、日本には約358万の中小企業が存在する。これは総企業数のじつに99・7%にあたる。そして中小企業の休廃業件数は2016年以降、毎年4万件を超える。[※2] テクノロジーの加速度的進化に取り残され、これから倒産する中小はますます増えるはずだ。

エリートは大企業に、野心的な人材はスタートアップなどのベンチャー企業に、そしてそれ以外の人はミクロな起業に乗り出す。近い将来、日本の産業はそうして三極化していくだろう。

※2　中小企業庁「中小企業白書」(2022年版)

「会話」が付加価値になる

これは知人から聞いた話だが、世間話めあてにコールセンターに電話してくる高齢者が増えているらしい。たしかに「スマートフォンの操作がわからない」とか、いくらでも建前はつくれそうだ。しかもフリーダイヤルならお金もかからない。

コールセンターとすればそれでも「お客様」だ。無下にはできない。人恋しい高齢者にとってはもってこいの雑談場になるわけだ。

「人間は社会的動物」とも言われる。人は一人で生きていけない。物理的にもそうだが、精神的にもなおさらだ。生きるには話し相手が必要だ。でないと日々の張り合いを失う。

年を取るにつれ、それはいっそう切実な問題になる。定年になれば人づきあいは一気に減る。同世代の知人、友人も少しずつ寿命を迎えて旅立つ。新しい出会いの場に顔を出すのもまた年齢とともに億劫《おっくう》になる。それでも、話し相手はほしい――。

コミュニケーションにおける需要と供給。空前の超高齢社会に突入した日本において、そのギャップはますます拡がっていく。でもギャップとは、すなわちニーズだ。今後そのニーズに目をつける企業が現れるだろう。**高齢者たちの「話したい欲求」をビジネスに活用する企業が増えていく。**


ずいぶん昔に流行《はや》ったダイヤルQ２のような、対話そのものが商品化されるわけではない。いくら孤独だからといって、そこにお金を払う高齢者はいない。そうではなく、「話しをする」を付加価値にした新しいビジネスモデルが生まれる。

健康食品メーカーで考えてみよう。テレビCMや折り込みチラシなどで「あなたの健康法を教えてください」「あなたの個人ニュースを聞かせてください」といった触れ込みでコールセンターに電話を募《つの》る。もちろんフリーダイヤルだ。

そうやって高齢者とコールセンターのスタッフがつながる。健康自慢、病気自慢、たわいない世間話。しだいに話が弾めば、スタッフは自社商品を気軽な雰囲気で売り込みやすくなる。高齢者にしても「親身に話を聞いてもらった」という気持ちから、心理学でいう「返報性《へんぽうせい》の原理」が働く。つまり、自分がしてもらったことに対してなにかお返しをしたくなる。商売が成立する瞬間だ。

コミュニケーションを付加価値にする。じつはそれで成功したビジネス事例がすでにある。北海道では知らない人がいないコンビニチェーン「セイコーマート」だ。

北海道初山別村《しょさんべつむら》にあるセイコーマートは「奇跡のコンビニ」と呼ばれる。初山別村は人口約1000人の小さな集落。だから店舗開業の当初はとうぜん赤字だった。それがやがて黒字に転換したのだ。奇跡のコンビニたるゆえんだ。

このセイコーマート初山別店では客と店員が日常的に声をかけあう。「久しぶり！元気だった？」「新しい商品、おいしいよ！」といった調子だ。そうしたコミュニケーションの深化に付随《ふずい》して、客単価が増加していったのだという。※3

今後、特に地方で孤独感を募らせる高齢者が増える。それにともない、コミュニケーションをめぐる新しいビジネスモデルが台頭してくるはずだ。

※3　ITmediaビジネスオンライン「『戦略がないのが戦略』　セコマ会長が語る、買い物難民を救った『初山別店』開業の背景」（2022年12月21日）

自動車界の日本包囲網が加速する

２０２２年10月、ＥＵ（欧州連合）は内燃機関車（ガソリン車）の販売を２０３５年以降禁止することで合意。衝撃的なニュースとして世界を駆け巡った。その後、ＥＵは条件付きで一部の販売を容認する方針にあらためたが、内燃機関車に強烈な規制がかかることには変わりない。

環境問題に配慮した脱炭素化を目指す。それが規制にあたってのＥＵの言い分だ。でもあくまで表向きの口実にすぎない。実態は明らかな「トヨタ潰《つぶ》し」である。

ＥＵで販売が原則禁止となる内燃機関車にはＨＶ（ハイブリッド車）やＰＨＶ（プラグインハイブリッド車）もふくまれている。ＨＶやＰＨＶの製造は、トヨタをはじめ日本の自動車メーカーが得意としている。その技術、クオリティにおいて海外メーカーの追随《ついずい》を許さない。

ＥＵ内にはベンツやＢＭＷ、フォルクスワーゲンなど世界的な自動車メーカーが多数存在している。しかし、世界の自動車市場は日本勢が長年リードしてきた。これは内燃機関の開発力の賜物《たまもの》である。

高温の流体がピストンを回すことで成り立つガソリンエンジンは、開発のハードルがきわめて高い。他の工業製品と違って性能を向上させるためにコンピュータでシミュレーションするのが難しいのだ。最新のスーパーコンピュータをもってしても完全なシミュレーションは不可能とされる。だからその開発過程では何度も試行錯誤を繰り返す必要がある。そこでものを言うのが、ノウハウ、技術の蓄積である。古くからガソリンエンジンを開発してきた日本の自動車メーカーには一日《いちじつ》の長、いや何十年もの長があるのだ。

でもそうして日本のメーカーが牛耳《ぎゅうじ》っていた自動車業界にゲームチェンジャーが登場する。ＥＶ（電気自動車）だ。ＥＶは従来の内燃機関車とは違い、モーターで走行する。原動力は電気だ。そして電磁の世界は計算どおりに動く。ということは開発段階でほぼ完全なシミュレーションができる。つまり**自動車の主役が、内燃機関車からＥＶに取って代わられれば、日本のメーカーの圧倒的優位性は崩れるのだ。**

実際に、ＥＶのトップメーカーであるアメリカのテスラは２００３年創業、中国のＢＹＤも同じく２００３年に自動車事業に進出した新興企業である。

世界全体のＧＤＰ（国内総生産）に占めるＥＵの割合は約20％。アメリカ、中国に次ぐ、巨大な経済圏である。※4 ＥＵで内燃機関車の販売が禁止されれば、日本のメーカーは大きな市場を失う。ひるがえって他国のメーカーはチャンスだ。

二酸化炭素を排出しないＥＶはエコと相性がいい。だからＥＵとすれば大手を振って、内燃機関車の排除、ならびにＥＶの普及推進を謳《うた》える。

ＥＵだけでない。アメリカでもバイデン政権が環境保護の旗印のもとＥＶを普及させようと税制優遇を行っている。中国は二酸化炭素の多大な排出量を国際的に非難されているため、こちらもＥＶ推進の政策を展開している。このように着実に日本包囲網が敷かれているのだ。

ならばトヨタのＥＶ開発はどうなっているのか？　次で詳しく説明するが、致命的に出遅れてしまっている。

※4　国際通貨基金「世界経済見通し」（2023年４月版）

トヨタは落ちるべくして落ちる

世界の自動車業界にとってゲームチェンジャーであり、今後本格的に普及していくＥＶ（電気自動車）。だが、世界一の自動車メーカー・トヨタは完全に出遅れてしまった。

トヨタはＨＶ（ハイブリッド車）のプリウスを１９９７年に発売。ご存じのとおりこれが世界的に大ヒット。この成功がトヨタにとってのちのち仇《あだ》になる。ＥＶのポテンシャル、将来性を見誤ってしまうのだ。かつてＥＶは、ガソリン車やＨＶに比べるとはるかにスペックが劣っていた。バッテリー性能が悪く、まともな航続距離を確保できない。くわえて製造コストも高かった。トヨタとすれば将来、そのＥＶがガソリン車やＨＶを脅かすとは夢にも思わなかったのだろう。ＥＶには取り合わず、水素を燃料とした内燃機関「水素エンジン」の開発に力を入れるようになる。

そんなトヨタがようやくEV開発に注力するようになったのはつい最近だ。「2030年までに30車種のEVを投入」という骨太の戦略方針が発表されたのは2021年。2023年4月にトヨタ新社長に就任した佐藤恒治氏は「従来とは異なるアプローチで、電気自動車の開発を加速していく」と表明した。[※5] 果たしてトヨタはここからEV市場を席巻《せっけん》できるのか。しかし遅きに失した代償は大きい。

トヨタの自動車メーカーとしての技術に疑いの余地はない。そして資金力もある。だが現在のEV開発ではガソリン車やHVとは大きく異なるノウハウが求められる。その代表格がICT（情報通信技術）だ。

EVのトップメーカーであるテスラやBYDが製造しているEVは常時インターネットに接続されるコネクテッドカーとして、従来の自動車にはなかった画期的なスペックを獲得している。

わかりやすく喩《たと》えるなら〝走るスマートフォン〟なのだ。スマホは端末を替えずともそのOSがアップデートされることで新しい機能が加わる。それと同じような技術がEVにも持ち込まれている。

※5　読売新聞「トヨタ次期社長の佐藤恒治氏が初会見『EVファーストの発想で』…『全方位』戦略も維持」（2023年2月13日）

例えばテスラは自動運転による駐車機能をEV購入後のユーザーに提供した。そのような大がかりな機能だけでなく、数か月に1回のペースで細部のアップデートがなされている。そうしたファームのアップデートはこれまでの自動車にはありえないものだった。

つまり**最新のEV開発では車体そのものに加え、ソフトウェアの充実化がマストなのだ**。スマホがバッテリーの持ちや処理速度といったハード面、そしてOSやアプリといったソフト面の2つで成り立つのと同じである。その意味でIT企業出身のイーロン・マスク氏率いるテスラは圧倒的に有利だろう。

これまでのトヨタのスタンスを見るかぎり、経営陣がそうしたソフトウェアの重要性に気づいているとは思えない。

そもそも日本の大手企業はソフトウェアの開発が大の苦手だ。その大半を外注に頼っている。トヨタなら子会社のデンソーやパナソニックといった車載器メーカーだ。しかも実質的な開発を担っているのはその孫請《まごうけ》会社である。つまり、ソフトウェアに通じた人材がトヨタやグループ内にはいないという危機的な状況なのだ。

ガラケーで起きた惨劇が繰り返される

現在の自動車メーカーを取り巻く環境は、ひと昔前の携帯電話メーカーのそれと重なって見える。「内燃機関車（ガソリン車）とEV（電気自動車）」の関係は、「ガラケーとスマートフォン」の関係と非常に似ているのだ。

ガラケーと呼ばれる携帯電話は、あくまでも〝電話機〟だった。メール機能やカメラ機能の搭載、端末の小型化などが進められたが、コアの部分は変わらない。進化の先にあったのはコンパクトで多機能な電話機だ。

そこにアップルのiPhoneが登場する。iPhoneは「フォン」、つまり「電話」というワードこそ入っているが、その実体は〝パソコン〟だった。タッチ操作や優れたユーザーインターフェースを導入し、片手で持ち運べるパソコンをつくった。

つまりガラケーとiPhone、どちらも携帯電話だが、プロダクト開発の出発地点がまったく違うのだ。

そしてこの iPhone が中心となり、携帯電話の主流はガラケーからスマートフォンにシフト。ガラケーはまたたく間に過去のものとなる。

スマホの前、ガラケーの時代の覇者はフィンランドのメーカー「ノキア」だ。１998年から２０１１年まで、市場占有率および販売台数で世界トップに君臨。「フィンランドの奇跡」「北欧の巨人」とまで称された。それがスマホの台頭により業績が低迷。世界的なスマホシフトに乗り遅れ、時価総額が90％も急落する惨劇に見舞われる。ノキアは倒産の危機におちいり、携帯電話事業を売却。その後、通信機器メーカーとして再起を果たすも、いまや覇者としての面影はなくなった。

スマホの登場により、アップルがノキアを王者の座から引きずり下ろした。そう言える。

自動車産業でもこれと同じようなことが起きようとしている。ＥＶの登場により、テスラがトヨタを王者の座から引きずり下ろす。そんな未来だ。

かつて携帯電話メーカーのノキアがたどった道を、自動車メーカーのトヨタも歩もうとしている。

いま現在、トヨタの業績は絶好調だ。当面は堅調に推移するだろう。自動車は携帯電話と違って買い替えサイクルも長い。だから**すぐ経営が傾くことはない**。**でも、じわじわ弱っていく。このままなら10年後、いまのトヨタの姿はないだろう。**

トヨタにかぎらず、日本の自動車メーカーはどこも似たような状況だ。唯一《ゆいいつ》、日産にはカルロス・ゴーン氏という先見性《せんけんせい》を備えたカリスマ経営者がいたが、ほかならぬ日産が追い出してしまった。

いわずもがな自動車産業は日本経済の大黒柱だ。2021年の自動車輸出金額は14・7兆円、自動車関連産業の就業人口は552万人にのぼる。[※6]

そんな基幹産業が衰退していくことは日本そのものにとって大きな痛手だ。日本の自動車メーカーにはぜひとも私の予想をいい意味で裏切ってほしいところだ。

※6　日本自動車工業会「日本の自動車工業」(2022年版)

タクシートラブルが減る

一般ドライバーが自家用車を使い、タクシー営業をするライドシェア（相乗り）サービス。アメリカや東南アジアではすっかり浸透し、日常的な交通手段になった。アメリカのUber（ウーバー）、Lyft（リフト）、中国のDiDi（ディディ）、シンガポールのGrab（グラブ）といった配車アプリを提供する企業の業績も右肩上がりだ。

このライドシェア、日本ではいまだに禁じられている。Uberの配車サービスはあるが、その対象はあくまで普通のタクシーだ。一般ドライバー（一種免許）のタクシー営業、いわゆる白タク行為は違法あつかいだ。

ライドシェアだと運賃が安くなるし、配車もスムーズだ。メリットはあってもデメリットはない。

ではなぜ日本は規制しているのか。その背景にはタクシー業界の反発がある。既得権益を守りたい彼らの強力なロビイングがライドシェアの解禁を阻んでいるのだ。利用者にとっては百害《ひゃくがい》あって一利《いちり》なしだ。

雨の日、タクシー乗り場には長蛇の列ができる。乗客は傘をさして何十分も待たされる。一時的な需要増にタクシー会社が対応できないせいだ。

もしライドシェアがあればそうはならない。乗客は次々と車に乗り込んでいくだろう。空き時間にUber Eats（ウーバーイーツ）の配達員として働く人がいるように、「今日は雨だから2時間だけUberで稼ぐか」とマイカーを走らせる人が出てくるからだ。ライドシェアは需給の調整弁の役割も果たすのである。

またプロ（二種免許）のタクシードライバーだからといって、とくだん運転が上手いわけでもない。

私は乱暴な運転で急ブレーキをかけられ、むち打ちになりかけたことがある。変なルートを走られ、ひどく遠回りになったこともある。そのたびにいちおう抗議するが、彼らも彼らで仕事を頑張っている。結局、やり場のない後味の悪さだけが残るのだ。

ライドシェアが普及すると、そういったトラブルも減る。配車アプリのレビュー機能により、水準に満たないドライバーはおのずと淘汰《とうた》される。また乗客側もレビューされる。マナーの悪い客は配車してもらえなくなる。

だからドライバーの質も、乗車マナーも向上していくのだ。

乗客にとっては時間と運賃の節約になる。ドライバーにとっては効率的な収入を得られる。ライドシェアは両者にとってウィンウィンである。

いま日本のタクシー業界ではドライバーの高齢化が問題になっている。人は年を取るとどうしても認知能力が落ちる。だから端的に危険な状態だ。タクシー会社はじゅうぶんなサービスを提供できていないのである。

世界のライドシェア市場は今後、年平均20％の成長率で拡大するという。[※7] これまで導入に消極的だった日本もじきに解禁せざるをえない。

ライドシェアが普及すれば、乗客はリーズナブルで、より快適なタクシーを使えるようになる。また一般ドライバーの参入で新たな労働市場もできる。いいこと尽《ず》くめだ。

※7　レポートオーシャンによる調査レポート（2021年9月）

電気代値下げのキーマンは外資

ＥＶ（電気自動車）メーカーとして名を馳《は》せるテスラ。だが、その真骨頂はＥＶの開発ではなく、バッテリーのマネジメントシステムにある。

いま日本には多くの電力会社があるが、実質的には東京電力を筆頭とした大手10社が仕切っている状況だ。今後、米企業のテスラがここに割って入り、その勢力図を塗り替えるかもしれない。

ＥＶにとってバッテリーはその心臓ともいえるきわめて重要なパーツだ。バッテリー容量が小さいと自動車として用をなさない。だからテスラは試行錯誤を重ねて高性能なバッテリーを開発してきた。くわえて、エネルギー密度が高い反面、過充電すると爆発の危険があるリチウムイオン電池を制御する技術も確立させた。

そしていまやテスラのバッテリーはＥＶにとどまらず、家庭用の蓄電池としても使えるようになった。ようはスマートフォンのモバイルバッテリーの超巨大版のようなものだ。

２０２１年発売のテスラのＥＶ「Model 3」のバッテリー容量は82ｋWh（キロワットアワー）。一般家庭（３人家族）における１日の平均電気消費量は約12・２ｋWhとされる。[※8] テスラのＥＶに貯めておいた電気だけで１週間暮らせるわけだ。

そうしたＥＶで培《つちか》った技術を応用し、テスラは電力ビジネスに乗り出している。その象徴的な商品が、家庭用蓄電池の「Powerwall（パワーウォール）」だ。もちろん日本でも売られている。Powerwall の容量は１台13・５ｋWh、最大10台まで連結できる。

日本では夜間の電気使用料が割安になるサービスが数多く存在する。日中と違い、夜は電気が余りがちになる。だから電力会社は安値で供給できるのだ。その夜間電力を自宅の Powerwall に蓄電しておけば、月々の電気代の節約になる。

さらにテスラは「Solar Roof（ソーラールーフ）」という屋根設置型の太陽光パネルも販売している。この Solar Roof と Powerwall を組み合わせることで、自家発電による蓄電が可能だ。電気代の節約もそうだが、なにより災害時の停電の備えとなる。

※8　総務省統計局「家計調査（家計収支編）」（2022年版）

ただし、テスラが電力ビジネスで狙っているのはそうした機器販売の収益ではない。各所に設置されたSolar RoofとPowerwallを一括制御し、大量の発電と送電を担う。発電所を持たずして発電所同様の役割を果たす。つまり「仮想発電所（VPP）」の大がかりな事業化がテスラの本丸なのだ。

Solar RoofもPowerwallもネットに常時接続されている。一括制御はお手の物だ。テスラはその強みをいかし、これまでになかった電力ビジネスを実現させようとしている。

すでに沖縄県宮古島ではPowerwallが普及していて、現在、その設置台数は300台を超えている。[※9] これは家庭用蓄電池によるVPP規模としては日本最大だ。**テスラのVPP事業が軌道に乗れば、日本の電気使用料金は大幅に安くなるだろう。**発電所を持たないぶん、テスラのインフラコストは軽微《けいび》ですむからだ。

日本の電力事業の主役はテスラ。そんな未来が訪れるかもしれない。

※9　テスラジャパン　2022年8月26日発表

仮想発電所（VPP）とは

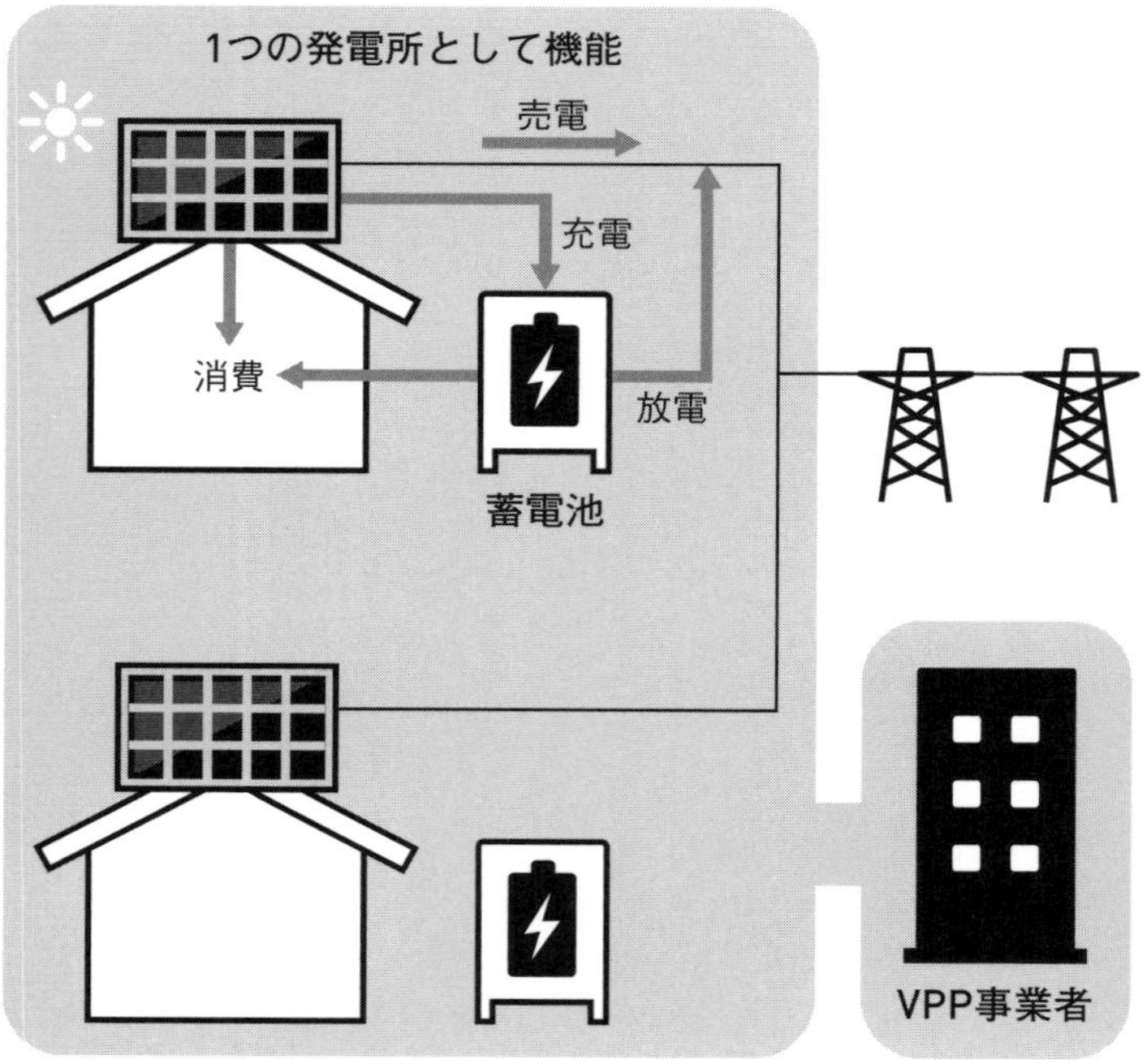

通常時	太陽光パネルの電力を使用
不足時	電力網に電力供給
余剰時	蓄電池に充電

テレビはほんとうにオワコンか

地上波テレビの凋落《ちょうらく》が指摘されて久しい。近年、事業収入は減少の一途だ。テレビ局のおもな収入源はスポンサーからの広告費。その広告単価が年々下がっている。広告単価が下がる理由は大きく2つある。ひとつは、視聴者数が減ったこと。視聴者数が減れば、広告媒体としての訴求力も減退する。テレビ局は単価を下げざるをえない。もうひとつは、スポンサーの大手企業が軒並み業績不振におちいり、大幅な広告予算を組めなくなったこと。やはり単価を下げないと買い手がつかないわけだ。

インターネットの年間広告費がテレビメディアの年間広告費を初めて上回ったのが２０１９年。※10 以来、テレビとネットの収益格差は拡がるばかりだ。

地上波テレビがオワコンになりつつあるのは明らかだ。でもテレビ局はまだひとつだけ強力な武器を持っている。「ブランド価値」だ。社会的信用と言い換えてもいい。

※10　電通「日本の広告費」（2019年版）

テレビで取り上げられるのは一流の証《あかし》。そんな信憑《しんぴょう》がまだ根強く生きているのだ。

実際、テレビ番組である商品が取り上げられると、その商品が飛ぶように売れるなんてケースは珍しくない。またグルメスポットとして紹介された飲食店に長蛇の列ができるのもよくある光景だ。

テレビにブランド価値を感じているのは視聴者だけではない。映画や舞台の番宣ができるとなれば、どんな人気俳優でもスケジュールを空ける。かく言う私も、自分が主催するミュージカル公演の時期には、宣伝をかねて『サンデージャポン』（TBS系列）に出演している。

高いブランド価値。それが健在なうちに次の一手をどう打つか。そこにテレビの未来はかかっている。

いまテレビ局にとってのいちばんのウィークポイントは広告依存の収益構造だ。ならば次の一手ははっきりしている。サブスクリプション（サブスク）の本格的な導入である。広告費に頼らず、視聴者から直接、サービス料を受け取る。サブスクなら事業収入はいまよりずっと安定する。いちど会員になった視聴者はそう簡単には離れない。継続的に視聴料を払ってくれる。

ということは、とうぜん番組の質がいっそう問われるわけだ。純粋なコンテンツ勝負になる。テレビ局には長い歴史で培《つちか》われた信頼感とノウハウがある。主戦場がサブスクになっても勝算は高いはずだ。

じつは長年にわたってサブスクで運営されているテレビ局がある。NHKだ。「NHK受信料」は名目こそ違えども、実質的な収益構造はサブスクのそれと変わらない。NHKの番組はどれもクオリティが高い。受信料という安定した収入源によって、潤沢な制作費を得ているからだ。民放テレビは観ないが、NHKなら観るという人も少なくない。私もNHKのドキュメンタリーは好きだ。よくつくり込まれている。

民放テレビ局がサブスクを本格導入すればNHKのみならず、ネットフリックスなどの動画配信サービスと競合することになる。切磋琢磨《せっさたくま》を経てそれぞれのコンテンツのレベルはさらに上がっていくだろう。

私たち視聴者にしてみれば魅力的な選択肢が増える。歓迎すべき未来である。

テレビとネットの広告費格差はどんどん拡大

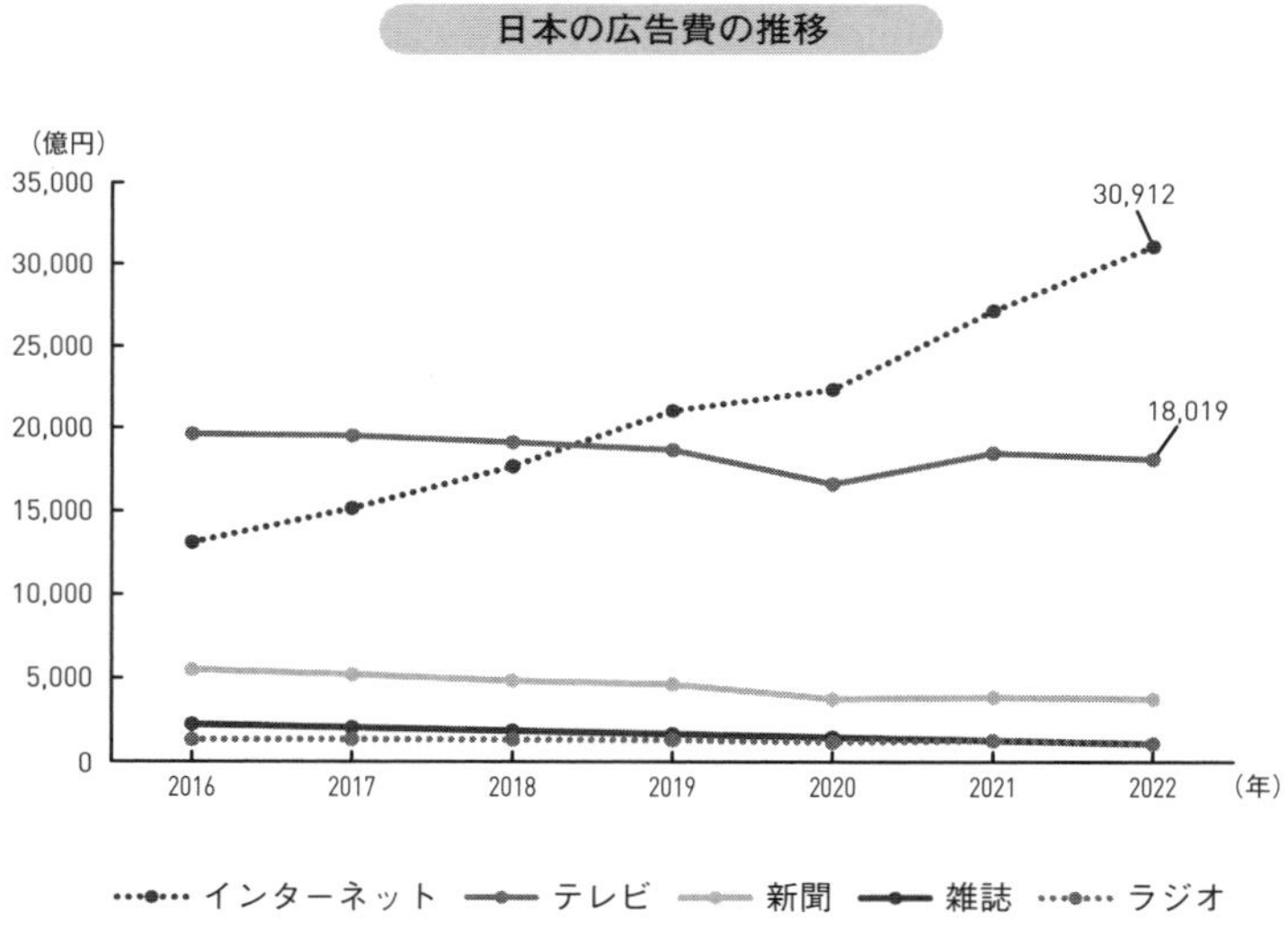

電通「日本の広告費」（2022年版）より

韓流エンタメの拡大戦略

なんで日本のドラマや映画はショボいんだろう。そんな疑問を感じたことはないだろうか。主役の演技が下手、セットが安っぽい、CGが手抜き……。

お隣の国、韓国のそれと比べると雲泥《うんでい》の差だ。近年でいえば映画『パラサイト 半地下の家族』、ネットフリックスのオリジナルドラマ『イカゲーム』。脚本、演出、役者の演技、そのすべてが際立っている。国際的に評価されるのも納得だ。

韓流エンタメは音楽の分野でも圧倒的だ。BTSはもはや世界のアイドルだし、BLACKPINK（ブラックピンク）も欧米を席巻《せっけん》している。

日本と韓国のこの差はどこから来るのか。背景には、ターゲットにするマーケットの違いがある。

韓国の人口は約5100万人。日本の半分以下だ。先進国のなかでは小国にあたる。

ようするに国内市場は小さい。

エンタメは時として国境を超える。グローバルな展開が可能だ。だから韓国のエンタメビジネスは最初から世界を見据えた戦略を練る。

エンタメコンテンツのクオリティは制作費に大きく左右される。制作費のぶんだけクオリティは増す。その予算は言うまでもなく売上予測に基づいて弾き出される。韓国のエンタメ業界が射程に入れるのはグローバル市場だ。だから多額の予算が組まれることになる。韓流エンタメはそれだけ並々ならぬ覚悟でリリースされるわけだ。


かたや日本はどうだろう。人口は約1億2000万人。GDP（国内総生産）も世界3位。[※4]〝そこそこ〟の市場規模を持っている。だから日本のエンタメ業界は世界よりもまず国内に重点を置く。国内市場で消化できさえすれば、そこそこの儲けになるからだ。ということは、制作予算もまたそこそこ程度にとどまる。

連ドラや映画の主演に人気アイドルを起用しがちなのも、そうしたドメスティックな視点からだ。演技力どうこうよりそのアイドルの人気、つまり集客力をあてにして起用するわけだ。ようするに限りなくファンビジネスに近い。ファンビジネスに特化すれば良くも悪くも、すべて手堅くそこそこで仕上がる。

　しかし今後、国内のエンタメ市場は急速に縮小する。少子高齢化の波をもろにかぶる業界のひとつがエンタメ業界である。高齢者の大半はエンタメにお金を使わないからだ。

　また、いまやネットフリックスなどの動画配信サービスの登場で、世界中のエンタメがいつでもどこでも楽しめるようになった。視聴者の「財布」と「時間」をめぐる獲得競争は激化するばかりだ。

　日本お得意のドメスティック戦略はじきに通用しなくなる。そこそこのクオリティではどことも勝負できない。とはいえ、なにも日本のエンタメはこのまま沈んでいくわけではない。詳しくは次で述べるが、じつはいくらでも世界に打って出られるのだ。それだけの底力がある。

ジャパニーズコンテンツが韓流に勝つ

韓国に大きく水をあけられた日本のエンタメ。だが今後の国内市場の縮小は、むしろエンタメ界にとって吉と出る。日本がアジア一のエンタメ大国に返り咲く日は遠くない。

『千と千尋の神隠し』が米アカデミー賞の長編アニメ映画賞を射止めるなど、かねてから国際的な評価の高かったスタジオジブリのアニメ作品。動画配信サービスのネットフリックスは２０２０年からそのジブリ作品を約１９０か国（日本、アメリカ、カナダを除く）に配信している。その配信を機に世界中で人気が再燃した。

数年前、私がレバノンを訪れたときもジブリ人気がすごかった。日本のエンタメにあまり馴染《なじ》みのない中東の地でも人々を虜《とりこ》にしていた。

また『孤独のグルメ』（テレビ東京系列）や『深夜食堂』（ＴＢＳ系列）といった渋めの

日本ドラマもジブリ作品と同じく、ネットフリックスを通じ海外でヒットしている。『孤独のグルメ』も『深夜食堂』もそんなに制作費をかけているわけではない。むしろ低予算ながら創意工夫してつくられたドラマだ。細部までこだわって、独自の洗練されたおもしろみを演出している。それが海外で受けたのだろう。

日本のエンタメも世界でじゅうぶん通用するのだ。いままでドメスティックな国内市場だけ見て、たんに売り込んでいなかったにすぎない。

現にあらかじめ海外展開を見越してつくられた日本発のネットフリックスドラマ『今際《いまわ》の国のアリス』は世界的な大ヒットを記録した。佐藤信介監督による本作は、素人目にも多額の予算が投入されているのがわかる。それくらいクオリティが高い。私もどっぷりハマった。日本もやればできる。

これから日本のエンタメは世界に打って出ざるをえない。もう国内市場はあてにできない。多額の予算を組み、海外作品との真っ向勝負がはじまる。

日本には低予算でも世界に食い込めるほどのコンテンツ制作能力がある。今後、そのポテンシャルが爆発するだろう。

日本のエンタメ産業のなかでゲームだけは別格だ。とっくにグローバル市場をとらえている。『ポケットモンスター』『スプラトゥーン』『メタルギアソリッド』『ファイナルファンタジー』――数えきれないほどの傑作を世界に送り出してきた。

映画もアニメもドラマも音楽もこれからそうなる。日本が韓流エンタメと肩を並べる、いや追い越すのも夢ではないだろう。

まだ本気の日本をだれも知らない。当の日本人でさえ知らない。それが近い将来、明かされることになる。

Chapter 5

テクノロジー

すべての常識が覆される。
未来は希望と興奮に満ちている

廃《すた》れるメタバース

いま「メタバース」がなにかと注目されている。メタバースとは3次元のデジタル仮想空間のこと。この分野に年間100億ドル（約1兆3000億円）もの大投資を行っているのがマーク・ザッカーバーグ氏率いるメタ社だ。メタ社は2021年10月にフェイスブック社からいまの社名に変更した。それがすべてを物語っているように、メタバースの未来にそうとうな自信と確信があるのだろう。

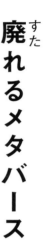

でも結論から言えば、**メタ社が期待するような未来にはならない。かりになったとしてもずいぶん先の話だ。そのころにはメタ社自体があるかどうかわからない。**

メタ社が設計するメタバースは、HMD（ヘッドマウントディスプレイ）を装着して楽しむ世界観だ。HMDにより、まるで自分がその仮想空間に実存するかのような没入感が得られる。ユーザーはアバター（仮想の分身）となって、ほかのユーザーとコミュニケーションを取ったり、臨場感たっぷりのゲームを楽しんだりする。

メタバースは国境を超え、多くの人々がいつでも集える空間だ。そのメタバースをみんなの生活の軸にしてもらう。みんながそこでお金を使い、企業も彼らに向けて広告を掲出する。——それがメタ社の大まかな事業構想だ。


その構想が果たされるのなら、メタ社は莫大な利益を手にする。そして人類史にその名を刻むだろう。しかしその道のりはきわめて険しい。そもそもＨＭＤは長時間の装着に向いていない。30分くらいで「ＶＲ（仮想現実）酔い」になってしまう。すさまじい没入感と引き換えに、視覚による情報と平衡《へいこう》感覚による空間認識とのあいだにズレが生じてしまうのだ。乗り物酔いのようになってしまう。

ＨＭＤの軽量化も進んでいない。さまざまな技術的課題が立ちはだかっている。ストレスフリーなＨＭＤの開発にはまだまだ年月を要するだろう。

これがＨＭＤではなく、例えば脳に電気刺激を直接加えてバーチャル空間を脳内再現するようなことができるなら話は別だ。ＶＲ酔いも起きないだろう。だが脳科学の領域は依然として未解明な部分が多い。そんな装置はそれこそ非現実的だ。

ハードが普及していくには、魅力的なソフトが不可欠である。いわゆるキラーコンテンツの存在だ。その点においてもメタ社のメタバースは不十分である。

メタ社が目玉として位置づけるサービスのひとつがミーティング機能。ユーザー同士がアバターとなり、メタバース内で自由な会議を行えるという趣向だ。でもアバターになったところで濃い話ができるわけでもない。とくだんリアルなコミュニケーションになるわけでもない。つまりZoomなどのビデオ会議と大差ない。むしろ手軽さや利便性を考えればZoomのほうが優れている。

ならば今後、ほかに優れたコンテンツが生まれる可能性はあるのか。難しいだろう。コンテンツメーカーにすればメタ社のメタバースは魅力的なものではない。ハードとして複雑すぎるのである。対応するコンテンツをつくるには、従来のビデオゲームなど比較にならないほどの膨大なリソースが必要になる。優れたコンテンツづくりどころか、コンテンツづくりそのものが難航するはずだ。

HMDによるメタバースが重宝されるのは、せいぜい企業研修の疑似体験くらいのものだろう。残念だが、メタ社のメタバース構想は不発に終わる。

浸透するメタバース

一方で、もうひとつの生活空間として私たちに確実に浸透しそうなメタバースもある。

メタバースとは3次元の仮想空間のことだ。メタ社が設計するHMD（ヘッドマウントディスプレイ）で体験するような世界観はあくまでその一種にすぎない。『フォートナイト』『ファイナルファンタジー』『あつまれ　どうぶつの森』といった人気3Dビデオゲーム。それもメタバースだ。ユーザーはアバター（仮想の分身）を操り、3次元の仮想空間を自由に動きまわることができる。オンラインで他のユーザーとの交流も可能だ。つまり基本的な設計思想はメタ社のそれと変わらない。

今後、市民権を得るメタバースはそっちである。3Dビデオゲームだ。なかでもバトルゲームのフォートナイトはその筆頭格だろう。現在、全世界でじつに5億人のユーザーがいる。

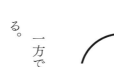

ゲームのメタバースは、巨大なプラットフォームの役割を果たす。

2020年、米国人ラッパーのトラヴィス・スコットさんがフォートナイト内でバーチャルライブを開催して話題になった。その参加者は2700万人。みんなバトルゲームを楽しむのではなく、音楽ライブに熱狂した。わずか9分間のライブだったが、2000万ドル（約26億円）の売上になったという。[※1]その後、日本でも星野源さんや米津玄師さんが同様のバーチャルライブを行った。フォートナイトでのライブイベントはすっかり定着した感がある。

日本が世界に誇るゲーム、あつ森（あつまれ どうぶつの森）もそうだ。たんなるゲームの枠を超える。コロナ禍の自粛生活の最中には、友達同士であつ森に集まり、チャット機能で会話を楽しむ人がたくさんいた。

メタ社の苦戦を尻目に、3Dビデオゲームのメタバースは着々と拡大している。

フォートナイトにはクリエイティブモードという機能がある。フォートナイト内でユーザーが独自のコンテンツをつくれる機能だ。例えばゲームを制作し、他のユーザーに楽しんでもらうこともできる。そしてそこにはロイヤルティが発生する。ゲーム

※1　ニュー・ミュージカル・エクスプレス「トラヴィス・スコット、『フォートナイト』でのヴァーチャル・ライヴで20億円以上の売上を記録」（2020年12月2日）

がプレイされれば、制作者にそのぶんの対価が支払われるのだ。

そうした収益モデルは今後、フォートナイトのみならず、他のゲーム空間でも積極的に導入されていくだろう。逆に言えば、そのようなマルチスペックがないとユーザーの獲得は難しくなる。

3Dビデオゲームのメタバースは群雄割拠《ぐんゆうかっきょ》の時代に入りつつある。それぞれがさらに洗練され、多彩な機能を備えることになるだろう。**そして大きな経済圏をつくっていく。ゲーム中のビジネスだけで暮らすユーザーも増えるはずだ。**

ちなみにメタ社はゲームコンテンツの開発も難航している。有力なゲームメーカーの買収がうまくいっていないからだ。ゲーム界の活況のかたわら、メタ社のメタバースでは閑古鳥《かんこどり》が鳴くことになる。

お金が集まるところにお金は集まる。人が集まるところに人は集まる。社会とはそういうものだ。メタバースもまた然《しか》りである。

「人工の太陽」がいよいよ稼働する

人類はいま地上に〝人工の太陽〟をつくろうとしている。それは人類史上最大の発明となる。もうすぐ空前の未来が切り開かれる。それこそ太陽くらい眩《まぶ》しい未来だ。

その人工の太陽とは、核融合反応を起こすための装置、すなわち「核融合炉《ろ》」のことだ。核融合とは文字どおり、原子核同士が合体する反応。その反応の際に生み出される膨大なエネルギーを、私たち人類は発電に使おうとしているのだ。

そもそも核融合は地球上の自然界では起こらない。太陽の内部で発生する現象だ。この核融合による発電が実現すれば、私たちは夢のエネルギーを手にすることになる。

核融合発電はあらゆるエネルギー問題を解決する。

なによりその発電能力がすさまじい。核融合炉において燃料（重水素や三重水素）1グラムから得られる核融合エネルギーは、石油8トンの燃焼エネルギーに匹敵する。[※2]

※2　量子科学技術研究開発機構「誰でも分かる核融合のしくみ」（2021年10月）

しかも安全だ。「核」という言葉をふくむので原子力発電と混同する読者がいるかもしれない。でもそうではない。原理からしてまったくの別物である。

原子力発電は核分裂反応を利用する。かたや核融合発電は核融合反応を利用する。核分裂と核融合。この違いは決定的だ。核分裂反応は連鎖するため制御が難しい。暴走の危険をはらんでいる。かたや核融合反応は連鎖しない。暴走のしようがないのだ。

核融合発電でも放射性廃棄物は発生する。とはいえ、原子力発電のような高レベル放射性廃棄物ではない。だから容易に処理できる。

火力発電の燃料は、天然ガスや石油だ。これらは枯渇性資源と呼ばれ、今後、尽きてしまうおそれがある。一方、核融合発電の燃料は重水素という物質だ。重水素は海水にふくまれていて、いくらでも取り出せる。ようするに永久に尽きることがない。

核融合発電は、火力発電のような二酸化炭素の排出とも無縁だ。くわえて、再生可能エネルギーを利用する水力や太陽光発電のように天候に左右されることもない。

核融合発電は異次元の発電能力を持ち、安全、安定、エコロジーなのだ。夢のエネルギーたる理由である。

〝人工の太陽〟核融合炉の開発研究は、20世紀なかごろから行われてきたが、最近まで見果てぬ夢であった。核融合を起こすには、1億℃以上の超高温状態をつくりださなくてはならない。人類にとってそれは高い壁だった。

しかしその夢が実現しようとしている。日本をふくむ大型国際プロジェクト「ITER（イーター＝国際熱核融合実験炉）計画」により、2020年、人類初となる核融合実験炉の建設がフランスの地でスタートした。2022年11月時点での進捗状況は77％と順調だ。[※3] 運転開始予定は2025年。そして2035年までに出力エネルギーが入力エネルギーを上回る見込みだ。

ITERは実験炉であり、その成果をもとに原型炉がつくられ、最終的に商用炉になっていく。すでにイギリスは原型炉の建設場所を選定し、実用化に向けて動き出している。今後10年ほどで核融合発電が実現する可能性がある。

それは全世界が産油国になるようなものだ。懸念されている将来的な資源枯渇も一掃される。資源をめぐる紛争もなくなる。そして私たちの暮らしはいっそう快適になる。地球はユートピアになるのだ。

※3　文部科学省「国際協調（ITER計画）から国際競争（各国戦略）へ」（2022年11月）

核融合発電とは

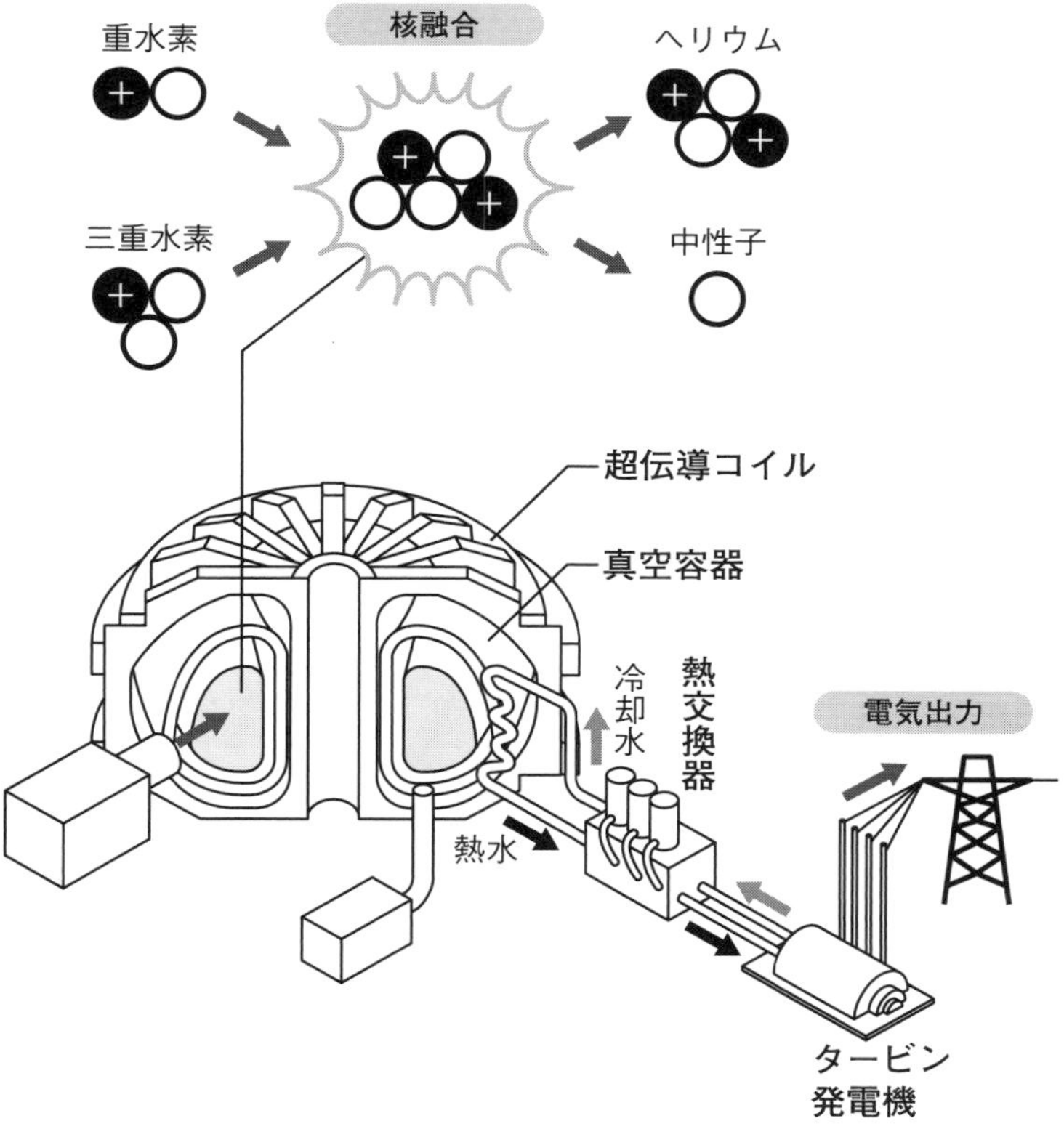
核融合
重水素
三重水素
ヘリウム
中性子
超伝導コイル
真空容器
冷却水
熱交換器
電気出力
熱水
タービン
発電機

通信の破壊的革命

２０２０年に登場した５Ｇ通信。本来ならそれで私たちのネット環境は飛躍的に向上するはずだった。ところが実際は５Ｇ基地局の整備がなかなか進まず、いまだその恩恵をじゅうぶんに受けられていない。２０３０年ごろにはさらに通信速度の速い６Ｇが登場するらしいが、どうなるか怪しいものだ。でももはや５Ｇも６Ｇもどうでもいい。なぜなら近い将来、通信の革命が起きるからだ。その主役は宇宙にある「低軌道衛星」である。低軌道衛星による通信技術が今後すべてを一変させる。

従来の通信衛星は地表から遠く離れた高度３万６０００キロの軌道を周回している。一方、低軌道衛星とはその名のとおり、高度５００〜２０００キロの低軌道を周回する。

フライト中の飛行機内でWi-Fiの接続が遅くてイライラしたことはないだろうか。それは高度3万6000キロの通信衛星を使っているからだ。

これが低軌道の通信衛星なら地表に近いぶんそのような遅延は発生しない。アメリカの宇宙開発企業スペースXは2020年11月から、低軌道衛星を用いたインターネット接続サービス「Starlink（スターリンク）」を開始した（日本では2022年10月から提供開始）。スペースXが初めてその試験機を打ち上げたのが2018年2月。そこからすさまじいペースで衛星を打ち上げ、現時点で4000基以上を軌道投入している。低軌道衛星は地表から近い。ということは、衛星1基あたりがカバーできる地表範囲は限定的だ。スペースXはたくさんの衛星を送り込むことで、その難点を解消しているわけだ。

現在、Starlinkの通信速度は一般的な光回線に匹敵するクオリティだ。地上の基地局が行き届いていないような山間部の僻地《へきち》、あるいは海上でももちろんその通信速度は変わらない。天災や戦争で基地局が破壊されてもとうぜん影響はない。

人工衛星というと仰々《ぎょうぎょう》しい機体がイメージされがちだ。でもスペースXのそれは薄いプレート型である。公式発表されていないので詳細は不明だが、1基の厚さはおそらく50センチもない。縦横の長さも3メートルくらいだ。低軌道衛星は地表近くを周回するため、従来の通信衛星より電波の出力が小さくてすむ。だから小型サイズでじゅうぶんなのだ。

小型なぶん製造コストは抑えられる。そして打ち上げ効率もいい。よって、がんがん宇宙に送り込める。スペースXは将来的に最大4万2000基の衛星を軌道投入する計画だという。そうなれば驚異的な通信速度が実現する。さらにどんな秘境にいようがネットにつながるようになる。

Starlinkに代表されるような低軌道衛星通信に「光衛星通信」が組み合わされれば最強だろう。光衛星通信とは、従来のような電波による通信ではなく、レーザー光を使った通信技術のことだ。真空の宇宙からレーザー光を放てば、まさに光の速度となる。**6G通信をはるかに超える通信環境が生まれるだろう。**

光衛星通信はその実用化に向けて目下、世界中でし烈な開発競争が繰り広げられている。とうぜんスペースXも導入を目指している。

いずれにせよそう遠くない未来、ドコモやauが莫大なコストをかけた基地局はいらなくなる。楽天モバイルも巨額の資金調達をして基地局設置に血眼になっているがこれも無駄になる。

低軌道衛星通信はディスラプション、つまり破壊的な革命を起こすわけだ。スペースXのイーロン・マスク氏やアマゾン創設者のジェフ・ベゾス氏などが宇宙開発にこぞって乗り出しているのは、そうした強烈なポテンシャルを見据えているからだ。もちろん私もそのひとりである。

低軌道衛星通信がこれから世界を塗り替える。宇宙からネットをつなぐ新時代は、もう幕を開けているのだ。

衛星通信の世界

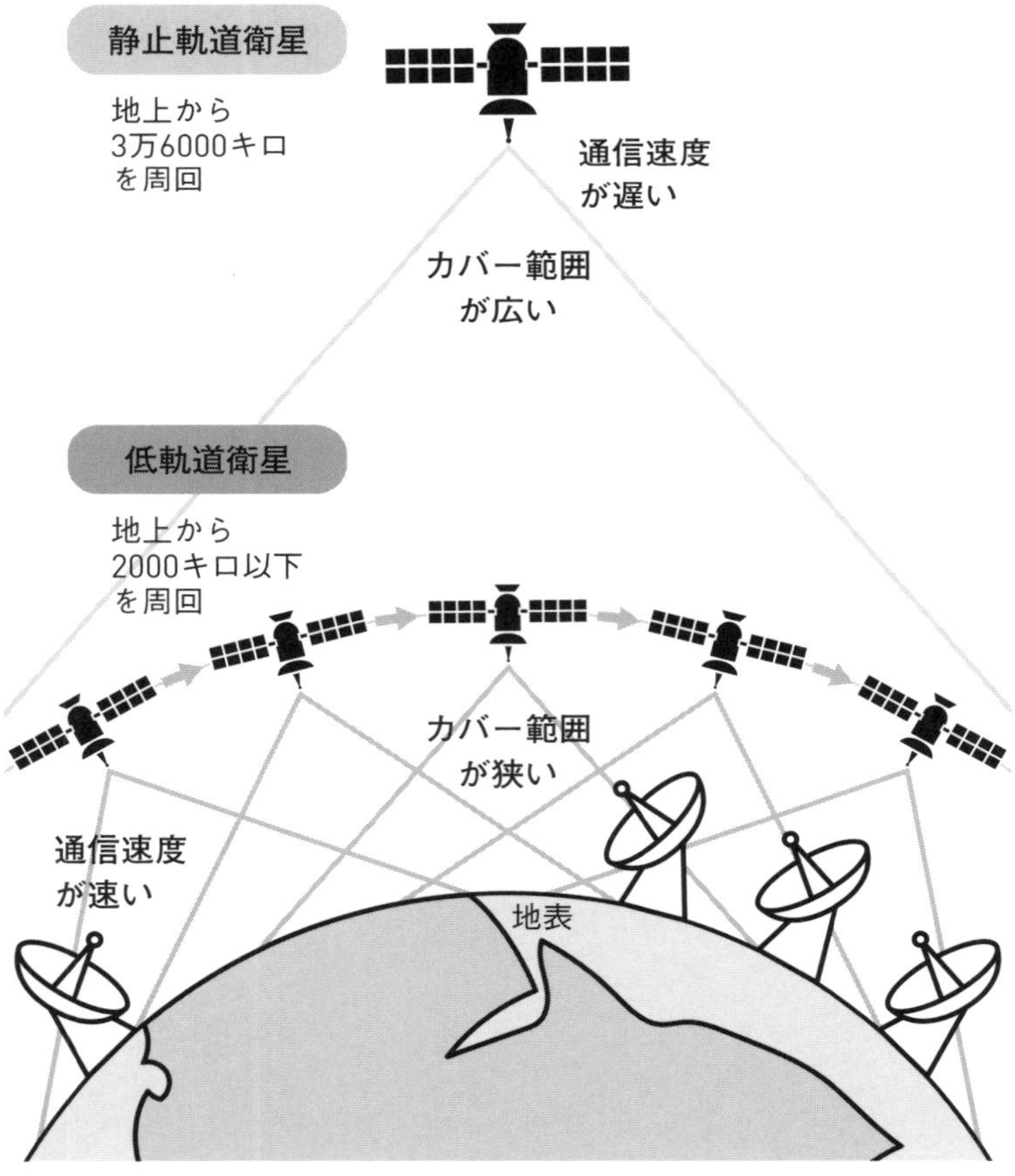
静止軌道衛星
地上から
3万6000キロ
を周回
通信速度
が遅い
カバー範囲
が広い
低軌道衛星
地上から
2000キロ以下
を周回
カバー範囲
が狭い
通信速度
が速い
地表

宇宙開発での日本のおいしいポジション

日本はロケット大国になるポテンシャルを持っている。いまはまだアメリカや中国に先行されているが、世界一の座を狙える可能性はじゅうぶんにある。

大風呂敷を広げているわけではない。なにより日本には地の利がある。

ロケットを効率的に打ち上げるには東の方角が適している。地球の自転を味方につけて加速できるからだ。真西の方角は、真東の方角に比べ、打ち上げることのできるロケットの重量がほぼ半分程度になってしまう。

東の方角が適しているといっても、そこに市街地や他国の領土があるととうぜん打ち上げは無理だ。落下しようものなら大変だ。

東に他国の領土を望むヨーロッパの国々は自国内からロケットを打ち上げることができない。だから南米にあるフランス領ギアナまでわざわざロケットを運び、そこの発射基地から打ち上げ実験を行っている。いちいち、手間と時間とお金がかかるのだ。

ひるがえって日本。東には広大な太平洋が拡がっている。絶好のロケーションだ。

日本にはさらにもうひとつ、アドバンテージがある。

独自の人工衛星を活用したい一般企業は、宇宙開発企業にその打ち上げを依頼する。スペースXなどがよくこれを請け負っていて、いまのところそうした一般企業からの需要はアメリカに集中している。

ただし、アメリカ製のロケットには米政府によるITAR（国際武器取引規則）という規制がかけられている。この規制は、武器あるいはその開発技術が敵対勢力に渡らないようにするためのものだ。ロケットはミサイルに転用できる。だからこのITARによって、アメリカの宇宙開発企業に力を貸してもらえない他国企業もある。またアメリカの宇宙開発企業の力を借りられたとしても、膨大なペーパーワーク（書類の作成）が課される。利用する側としてはとても面倒だ。

かたや日本にはそうした規制はない。ITARの影響を受ける国々を中心に今後、進展著《いちじる》しい日本のロケットの需要は高まっていく。

世界の宇宙産業市場は年々拡大している。2040年には100兆円に達するという予想もある。[※4]これはいまの3倍におよぶ規模だ。特に、需要が拡大するのは人工衛星である。しかし現在、人工衛星を宇宙に送り届けるための手段が不足しているのだ。

宇宙空間に人や物を届けることを「宇宙輸送」という。ロシア・ウクライナ戦争が勃発するまで、ロシアのロケットが世界の宇宙輸送の2割を担っていた。だが経済制裁により、各国の衛星運用企業はロシアに頼めなくなってしまった。いま多くの衛星運用企業は頭を痛めている。

ロシアに対する経済制裁はしばらく続くだろう。ならば日本に宇宙輸送の依頼が舞い込むことになる。**実際、欧米を中心とする衛星運用企業から日本の宇宙開発企業に問い合わせが殺到している。**[※5]**日本にすればまたとないチャンスだ。**

日本は、ＩＴ分野でアメリカや中国に勝てなかった。しかしロケット産業では負けない。勝つための条件は揃っている。これから衰退していく自動車産業に代わり、ロケットが日本経済を牽引するのだ。

※4　モルガン・スタンレー、ゴールドマン・サックス、バンク・オブ・アメリカなどの金融機関による調査レポート

※5　日本経済新聞「ウクライナ危機 衛星打ち上げ、日本は代役果たせるか」(2022年3月15日)

人工冬眠の現実味

SF映画などで目にする人工冬眠。それがほんとうに実現しそうだ。

2020年、筑波大学の櫻井武教授らのグループがマウスを使った実験で、冬眠状態をつくりだすことに成功した。[※6] 脳（視床下部）の一部に存在する神経細胞群を刺激されたマウスがまったく動かなくなったのだ。死んだのではない。体温や代謝が著《いちじる》しく低下し、活動が止まった。つまり冬眠である。

櫻井教授らはこの神経細胞群を「Q神経（Quiescence-inducing neurons＝休眠誘導神経）」と名づけた。

さらに櫻井教授らは遺伝子組み換え技術によって、あるマウスをつくる。特定の物質を投与されるとQ神経が興奮するマウスだ。そのマウスにその物質を投与したらやはり冬眠状態になった。約36時間、活動を止めたという。

※6　筑波大学 国際統合睡眠医科学研究機構「冬眠様状態を誘導する新規神経回路の発見」（2020年6月）

これはマウスによる実験だが、冬眠に関わっているQ神経は哺乳類に広く保存されている。もちろん人間にもQ神経はある。

つまり**マウスがそうであるように、冬眠しないとされていた動物もじつは冬眠できる。となると人間を人工冬眠させることも可能**――。そんな仮説が成り立つ。あとはそれを立証するだけだ。

でもまさか人間を使ってそのマウスのような実験はできない。遺伝子変換した人間をつくるわけにはいかない。

そこで櫻井教授らは、人間のQ神経を刺激する神経ペプチドを探した。神経ペプチドとは、脳内の興奮や抑制に作用する物質のことだ。アミノ酸が連なった物質であり、ひと口に神経ペプチドといってもその種類は無数にある。

だからまるで人間のQ神経という鍵穴にハマる鍵を世界中から探すような作業だが、櫻井教授らはあるカエルの粘膜から、該当するペプチドを発見したのだ。

ただしこのペプチドはぴったりハマる鍵というのではなく、いちおうハマるという構造だ。そしてサイズも大きすぎた。そのままだとブレインブラッドバリアという人間の血液脳関門を通り抜けることができない。だからまずそのペプチドをチューニングする必要がある。いま現在はその段階だ。今後かりにチューニングがうまくいってもそう簡単に人体実験に移れるわけではない。倫理的問題をクリアしなければならない。

人間の人工冬眠の実現にはまだハードルが残されている。でも私は櫻井教授と何度か対談しているが、この分野の研究はかなり進んでいる様子だ。ここ10年くらいで全《ぜん》貌《ぼう》が解明できそうな勢いである。

宇宙船の人工冬眠カプセルに入り、はるか彼方《かなた》の惑星を目指す——。そんなSF映画のような光景は遠い遠い未来の話だと思っていた。でもそうではなさそうだ。

冬眠の意外なメリット

人工冬眠が実現すると、私たちの暮らしはどうなるだろうか。

人工冬眠の恩恵をもっとも受けるのは医療だろう。例えば、脳梗塞で倒れた患者を緊急で冬眠状態にすれば悲劇を避けられる。

脳梗塞では血液の流れがとどこおり、脳細胞が酸欠状態になる。脳細胞は酸欠に弱く、ものの数分で壊死《えし》してしまう。一命をとりとめたとしても、言語障害などの後遺症が残ることも少なくない。

でも冬眠状態なら代謝が低下するので、酸素の必要量は極端に減る。だから命を救えるし、後遺症も防げるのだ。

救急車内や街なかで、ＡＥＤ（自動体外式除細動器）のような救命措置として人工冬眠が活用されるはずだ。

あるいは不治の病に侵された人がその治療法が見つかるまで何年も冬眠状態で過ご

すというケースも出てくるだろう。人工冬眠は私たちを死から遠ざけてくれるのだ。

そうした医療現場にかぎらない。冬眠は私たちのライフスタイルのひとつにもなる。冬眠中は代謝が低下する。ということは老化しないわけだ。通常、寝たきりだと筋肉が痩せて、筋萎縮が起きる。骨の量も減る。でも冬眠はそういった衰えとも無縁だ。しばらくこれといった予定もないからとりあえず冬眠でもするか――。人工冬眠はそんな気軽な選択肢のひとつになる。花粉症の厳しい時季を冬眠で逃れるような人も続出しそうだ。


金融取引において人工冬眠を利用する手もある。

世界でいちばん成果を出せる投資家はだれだろう？　投資の神様といわれるウォーレン・バフェット氏だろうか。違う。答えは死者だ。なぜなら死者は値上がりしても売らないからだ。

例えば、２００９年に誕生した仮想通貨（暗号資産）のビットコイン。当初の価値は１円以下だった。でもそこから値上げを続け、２０２１年11月に７７７万円まで高騰《こうとう》する。たいていの人は上昇局面で利益確定（利確）する。私もビットコインをかなり安いときから保有していたが、少し値上がりしたときに利確してしまった。あとちょっと辛抱していれば倍以上になっていた。

また私はイーサリアムという仮想通貨も昔から持っているのだが、不具合により取り出せなくなってしまった。手が出せず放置しているうちに、その価値は2億円まで上がった。もしいつでも取り出せる状態にあったなら、2億円になるまで待てなかったはずだ。この売りたくても手をつけられない状況は、つまり死者と同じである。

投機的な側面が強い仮想通貨はともかく、長期的に徐々に値上がりするインデックスファンドのような金融商品で大きな利益を得たいなら、冬眠にまさる運用法はない。売りの誘惑に駆られず、長い年月をやり過ごせるからだ。

どこかの証券会社が金融商品と「人工冬眠」をセットで販売するような未来があったらおもしろい。

健康寿命がさらに延びる

２０２０年、新型コロナウイルス「COVID-19（コヴィッド19）」が世界中で猛威を振るった。そのパンデミックにおいて不幸中の幸いがあった。ｍＲＮＡ（メッセンジャーＲＮＡ）ワクチンの開発が急速に進んだことだ。今後、ｍＲＮＡを用いたワクチンや薬によって人間の健康寿命はさらに延びるだろう。

従来のワクチンは、弱毒化したウイルスそのものか、ウイルスを構成するタンパク質の一部を人体に投与することで抗体をつくり出す。一方、ｍＲＮＡワクチンは、そのウイルスを構成するタンパク質の設計図（ｍＲＮＡ）を投与し、人体内でそのタンパク質を生成することで抗体をつくり出すものだ。

ｍＲＮＡワクチンにより体内生成されるそのタンパク質自体は無害。抗体を誘発させたら、あとは酵素によって分解される。遺伝子情報が収納されている細胞核に入る

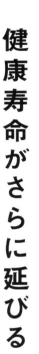

こともない。

もともとmRNAワクチンの技術は、がん治療のために研究されていた。がんは異常細胞（がん細胞）が無限増殖する病気だ。本来なら免疫によってすみやかに排除されるはずの異常細胞が、なんらかの理由で免疫の目を逃れている状態だ。

そこで患者から血液を採取し、そのがん細胞特有のタンパク質を特定する。そしてそのタンパク質のmRNA（設計図）を患者に投与することで免疫の反応力をあげる。mRNAによるタンパク質生成をきっかけに免疫が発動すれば、がん細胞も破壊していくようになる。

こうした治療法を「テーラーメイドがん治療」と呼ぶ。がん患者ひとりひとりのがん細胞の特徴に合わせた効果の高い治療が期待できるのだ。

2人に1人ががんになると言われるがん大国の日本。mRNAの技術を使った治療で今後、少なからぬがん患者が救われるだろう。

mRNAによって、他の感染症や難病とも闘える。

肝炎などの重篤な病気や、エイズの治療もできるかもしれない。エイズは医療の発展によりＨＩＶ（ヒト免疫不全ウイルス）の増殖を抑えることができるようにはなった。でも完治させるまでには至っていない。

ｍＲＮＡは、患者にとって希望なのだ。少し前までｍＲＮＡワクチンの開発にはまだ何十年もかかるとみられていた。でもパンデミックが契機となり、医学の叡智《えいち》が注ぎこまれる。そして不可能を可能にした。それは私たち人類にとって大いなる快挙である。**ｍＲＮＡワクチンは未来永劫《えいごう》、受け継がれてゆく宝にほかならない。**

一方、いまだに反ワクチン派がカルト的に騒いでいる。ｍＲＮＡワクチンの仕組みを理解せず、また理解しようともせず、ＳＮＳで適当なコメントを垂れ流している。さらに政治家やメディアもそれに乗っかる。パンデミックが起きてよかったと言うつもりはない。でもパンデミックがあったからこそ、雑音をはねのけてｍＲＮＡワクチンが世界規模で実用化したのも事実だ。

いまやｍＲＮＡの開発プラットフォームも大幅に整備された。これから人類の宝はいっそう輝きを増す。私たちの健康を後押ししてくれる。

mRNAワクチンとは

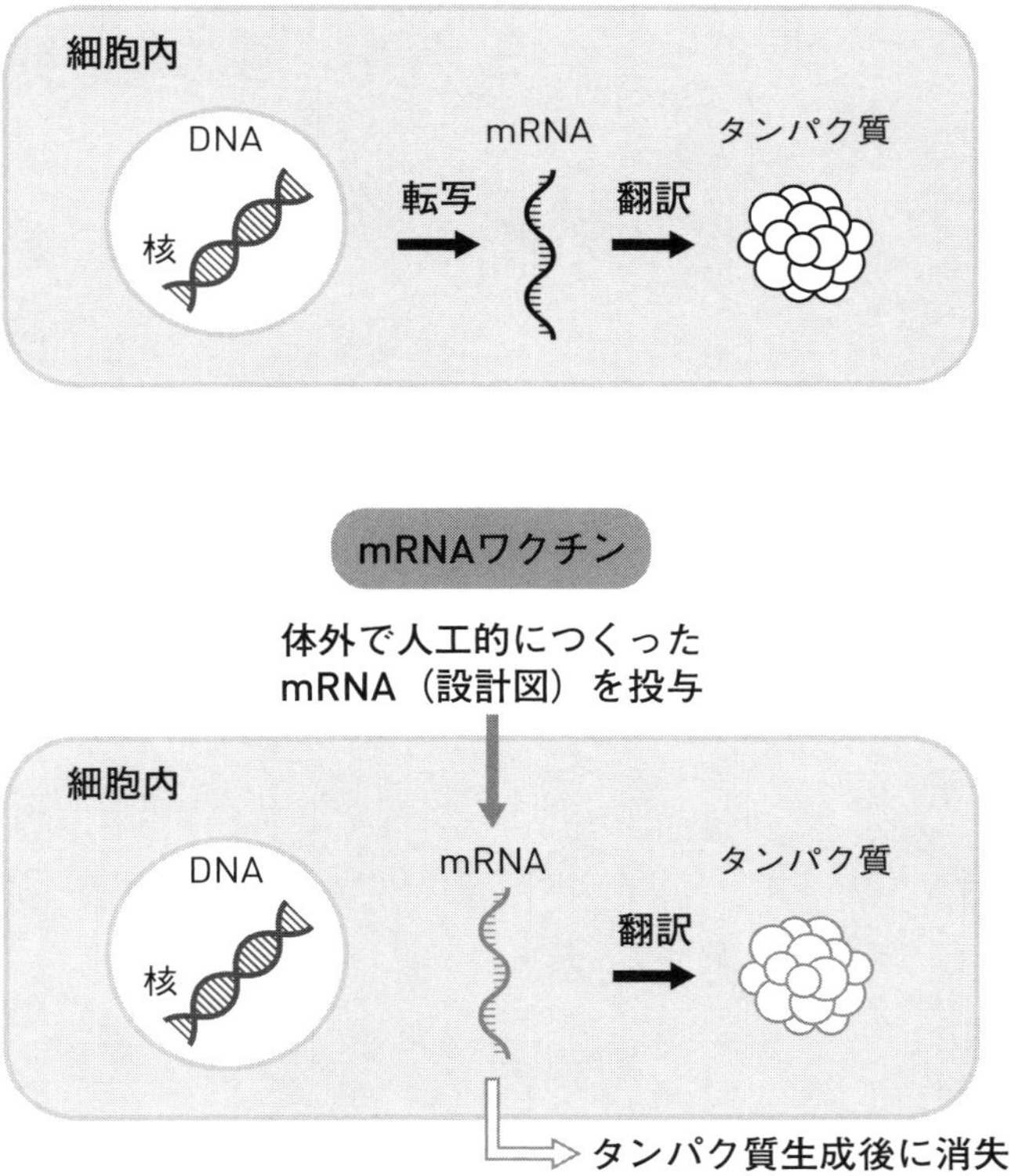

人工で体内に特定のタンパク質をつくり出せる

猫の寿命は飛躍的に延びる

現在、ペットとして飼われている猫の平均寿命は約16歳と言われている。[※7] 栄養状態の改善などによって猫の平均寿命は延びているが、これからさらに延びるだろう。しかも飛躍的にだ。

現在の平均寿命の倍の30歳まで生きる猫が続出する。

猫の死因トップは腎不全だ。この病気が厄介《やっかい》で、初期段階では症状が見られず、腎機能の7割以上が失われたタイミングで症状が現れる。飼い主が異変に気づいたときには取り返しがつかなくなっていることが多い。

猫の腎機能は6歳ごろから弱まっていく。おもな原因は加齢である。だから飼い主の努力、例えば塩分の多い食事にならないよう工夫してみてもどうにもならない。

※7　一般社団法人ペットフード協会「全国犬猫飼育実態調査」(2022年12月)

でもそこに一筋の光が差す。猫の腎機能低下のメカニズムを、元東京大学教授の宮崎徹氏が突き止めたのだ。※8 鍵をにぎるのは「ＡＩＭ」というタンパク質だった。このＡＩＭは血液中に存在し、体内の〝ゴミ〟を掃除する役割がある。ＡＩＭがうまく働かないとゴミが蓄積し、腎臓病などの疾患を引き起こすのだ。

そして、猫をはじめトラやチーターなどネコ科の動物すべてのＡＩＭが、加齢とともに機能しなくなることが明らかになった。

ＡＩＭを発見した宮崎氏は薬の開発に取り組んだ。ところが、新型コロナウイルス騒動の影響もあり、途中で資金調達が難航。万《ばん》事休《じきゅう》すかと思われた。

しかし、ここで愛猫家たちが動いた。宮崎氏がクラウドファンディングで研究資金を募集したところ全国から寄付が相次いだのだ。その額はなんと3億円近くにのぼった。宮崎氏は治療薬の開発に専念することを決意。東京大学教授という肩書を捨て、一般社団法人「ＡＩＭ医学研究所」を設立した。いま日夜、新薬開発に勤《いそ》しんでいる。

人間に用いられる新薬と違い、動物向けの新薬の承認にはそこまで時間はかからない。あと数年で実用にこぎつけられるのではないだろうか。

現在、猫の長寿ギネス記録は38歳3日だ。人間換算で約１７０歳という驚異的な年

※8　東京大学「腎臓の働きを改善する遺伝子『AIM』でネコの寿命が2倍に!?」（広報誌「淡青」37号／2018年9月）

齢だが、今後、このギネス記録が霞《かす》むほど長生きする猫が次々出てくるだろう。

愛猫家にとって猫は大切な家族の一員だ。飼い猫に先立たれ、その悲しみから立ち直れず、ペットロス症候群を患う人もいる。そうなると飼い主も猫もどちらも気の毒だ。

自分の愛する相手と少しでも長くともに過ごしたい。そう願うのが人間である。その相手が人間でも動物でも、思いの深さは一緒だ。

医療の進歩とはすなわち、幸せを分かちあうということだ。そのために今日も明日もテクノロジーは未来を目指す。

堀江貴文

ほりえ・たかふみ

1972年、福岡県生まれ。実業家。

ロケットエンジンの開発や、スマホアプリのプロデュース、また予防医療普及協会理事として予防医療を啓蒙するなど、幅広い分野で活動中。

会員制サロン「堀江貴文イノベーション大学校(HIU)」では、1,500名近い会員とともに多彩なプロジェクトを展開。

『ゼロ』(ダイヤモンド社)、『多動力』(幻冬舎)、『時間革命』(朝日新聞出版)、『最大化の超習慣』(徳間書店)など著書多数。

公式サロン　堀江貴文イノベーション大学校
http://salon.horiemon.com/

ブックデザイン	小口翔平＋畑中茜＋青山風音(tobufune)
写真	杉原光徳
組版・図版	キャップス
校正	鷗来堂
構成	加藤純平
編集	崔鎬吉

2035 10年《ねん》後《ご》のニッポン
ホリエモンの未《み》来《らい》予《よ》測《そく》大《たい》全《ぜん》

第1刷　2023年6月30日

著者　堀《ほり》江《え》貴《たか》文《ふみ》
発行者　小宮英行
発行所　株式会社徳間書店
〒141-8202
東京都品川区上大崎3-1-1
目黒セントラルスクエア
電話　編集／03-5403-4344　販売／049-293-5521
振替　00140-0-44392
印刷・製本　大日本印刷株式会社

ISBN978-4-19-865645-4